3 INGRÉDIENTS = 1 REPAS

Faire l'épicerie n'aura jamais été aussi simple !

Directrice des éditions : Isabel Tardif
Coordonnateur des éditions :
Jean-François Gosselin
Révision : Nathalie Ferraris
Correction : Audrey Faille
Couverture, maquette et infographie :
De Visu Design
Photo de l'auteure : Daniel Francis Haber
Maquillage : Blankita Torres
Photos des pages 17, 32, 42, 53, 55, 62, 90, 117, 120 :
Tango Photographie

Données de catalogage disponibles auprès de
Bibliothèque et Archives nationales du Québec

Les propos contenus dans ce livre ne reflètent
pas forcément l'opinion de l'éditeur.

10-17

Imprimé au Canada

Dépôt légal : 2017
Bibliothèque et Archives nationales du Québec

ISBN 978-2-89703-414-6

DISTRIBUTEURS EXCLUSIFS :

Pour le Canada et les États-Unis :
MESSAGERIES ADP inc.*
Téléphone : 450-640-1237
Internet : www.messageries-adp.com
* filiale du Groupe Sogides inc.,
filiale de Québecor Média inc.

Pour la France et les autres pays :
INTERFORUM editis
Téléphone : 33 (0) 1 49 59 11 56/91
Service commandes France Métropolitaine
Téléphone : 33 (0) 2 38 32 71 00
Internet : www.interforum.fr
Service commandes Export – DOM-TOM
Internet : www.interforum.fr
Courriel : cdes-export@interforum.fr

Pour la Suisse :
INTERFORUM editis SUISSE
Téléphone : 41 (0) 26 460 80 60
Internet : www.interforumsuisse.ch
Courriel : office@interforumsuisse.ch
Distributeur : OLF S.A.
Commandes :
Téléphone : 41 (0) 26 467 53 33
Internet : www.olf.ch
Courriel : information@olf.ch

Pour la Belgique et le Luxembourg :
INTERFORUM BENELUX S.A.
Téléphone : 32 (0) 10 42 03 20
Internet : www.interforum.be
Courriel : info@interforum.be

Gouvernement du Québec – Programme de crédit d'impôt pour l'édition de livres – Gestion SODEC – www.sodec.gouv.qc.ca

L'Éditeur bénéficie du soutien de la Société de développement des entreprises culturelles du Québec pour son programme d'édition.

Conseil des Arts du Canada   Canada Council for the Arts

Nous remercions le Conseil des Arts du Canada de l'aide accordée à notre programme de publication.

Financé par le gouvernement du Canada
Funded by the Government of Canada | Canada

Nous reconnaissons l'aide financière du gouvernement du Canada par l'entremise du Fonds du livre du Canada pour nos activités d'édition.

FLORENCE SYDNEY
diététiste - nutritionniste

3 INGRÉDIENTS = 1 REPAS

Faire l'épicerie n'aura jamais été aussi simple !

Une société de Québecor Média

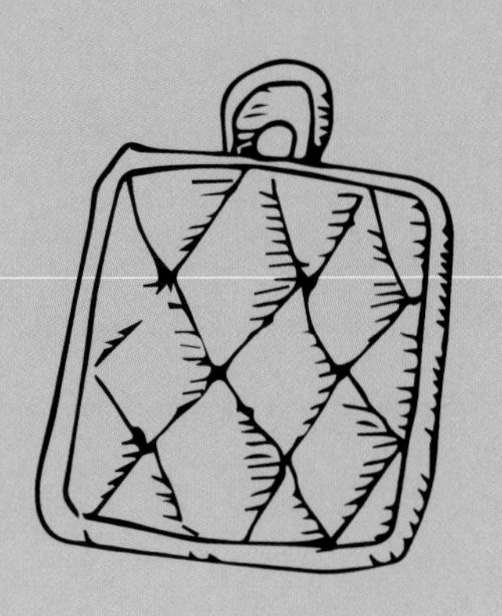

AVEZ-VOUS BESOIN DE CE LIVRE?

Avez-vous besoin de manger? Oui? Alors, vous avez besoin de ce livre.

Avez-vous des heures à consacrer à l'épicerie ou à la cuisine? Non? Alors, vous avez besoin de ce livre.

Bien souvent, les gens se tournent vers les repas à emporter ou les repas congelés parce qu'ils manquent de temps pour cuisiner ou pour faire l'épicerie. Mais ces repas sont souvent riches en sodium ou en gras, et ils ne sont pas équilibrés sur le plan nutritionnel. Encore plus important, ils n'ont jamais aussi bon goût qu'un repas maison. La vérité, c'est que vous n'avez pas besoin de passer tout votre temps dans la cuisine pour concocter des repas délicieux et santé.

Que vous viviez seul ou au sein d'une grande famille, vous devriez faire d'une bonne nutrition votre priorité. Malgré le fait que nous ayons tous une vie bien remplie – on passe de longues heures au travail, on court pour reconduire les enfants à leurs activités, on a une vie sociale active –, la saine alimentation ne devrait pas être mise de côté. Car il est possible de bien manger et de préparer des repas nutritifs en utilisant seulement 3 ingrédients. Oui, 3 ingrédients ! Quelle que soit votre expérience en cuisine – de cuisinier débutant au chef 5 étoiles –, vous verrez qu'en combinant 3 ingrédients à des ingrédients de base, les recettes de ce livre sauront satisfaire votre palais et vous faire gagner du temps dans la cuisine.

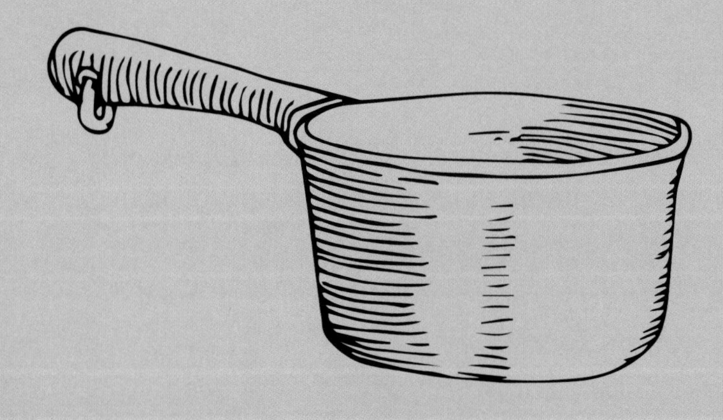

TABLE DES MATIÈRES

LES INGRÉDIENTS DE BASE

Il y a quelques ingrédients de base que vous devez toujours avoir dans votre cuisine. La majorité sont des aliments et des ingrédients qui se conservent longtemps. À l'exception du lait, vous n'avez pas à vous soucier de leur date de péremption parce qu'ils sont secs ou surgelés. Vous combinerez ces ingrédients de base à seulement **3 AUTRES INGRÉDIENTS** *pour réaliser des repas simples, équilibrés et délicieux. Quoi de plus facile ?*

IL Y A 3 CATÉGORIES D'INGRÉDIENTS DE BASE :

Les ingrédients du garde-manger

Les ingrédients du frigo et du congélo

Les assaisonnements

LES INGRÉDIENTS DE BASE (SUITE)

LES INGRÉDIENTS DE BASE DU GARDE-MANGER

- L'huile d'olive
- La farine non blanchie ou de blé entier
- Le riz blanc ou brun
- Les pâtes courtes ou longues
- Le couscous – le grain moyen est le plus polyvalent
- Le saumon et le thon en conserve; au moins 2 boîtes de chaque (213 g par boîte)
- Les l égumineuses en conserve (lentilles, haricots rouges, haricots noirs, pois chiches); au moins 2 boîtes de chaque (540 ml par boîte)

LES INGRÉDIENTS DE BASE DU FRIGO ET DU CONGÉLO

- Le beurre
- Le lait
- L'oignon
- L'ail
- 2 sortes de pain : votre pain tranché préféré, du pain pita ou des tortillas (moyen à grand format)
- Le mélange de petits pois et de carottes surgelés
- Le mélange de légumes asiatiques surgelés (avec pois mange-tout, bébés maïs et brocolis)

LES ASSAISONNEMENTS DE BASE

- Le sel
- Le poivre moulu
- Le mélange italien – ne pas confondre avec l'assaisonnement italien, qui contient du sel
- L'origan séché non moulu
- Le thym séché non moulu
- La poudre de cari douce, moyenne ou épicée
- La sauce soya à faible teneur en sodium
- Le miel ou le sirop d'érable
- Le sucre granulé blanc
- La cannelle moulue
- La muscade moulue ou entière; si vous l'achetez entière, il faut la râper à l'usage

UN PETIT EXTRA :
LES ÉPICES ET LES FINES HERBES

Les épices et les fines herbes ajoutent beaucoup de saveur aux recettes. Plus vous en avez dans votre garde-manger, mieux c'est. En plus, elles se conservent environ 1 an.

Voici quelques herbes et épices utilisées dans les cuisines de différents pays pour vous inspirer :

- **La Chine :** anis étoilé, mélange 5-épices
- **Le Moyen-Orient :** sumac, carvi, curcuma, zaatar
- **La France :** persil, herbes de Provence, romarin
- **L'Italie :** feuille de laurier, basilic, sauge
- **Cuisine latine :** cumin, safran, chipotle (piment jalapeno fumé), coriandre fraîche
- **Cuisine cajun :** poudre d'ail, paprika fumé, poudre d'oignon, flocons de piment, poivre de Cayenne

QUELQUES TERMES CULINAIRES

Si vous êtes débutant en cuisine, il y a peut-être des mots qui ne vous sont pas familiers. Ne soyez pas intimidé ! Voici un petit glossaire des termes qu'on utilise régulièrement en cuisine.

Badigeonner : étaler un liquide sur une préparation à l'aide d'un pinceau. Il peut s'agir de sauce, de beurre, d'huile, de sirop, etc.

Blanchir : plonger des fruits ou des légumes dans de l'eau bouillante afin de les rendre plus tendres ou de faciliter le retrait de leur peau sans abîmer leur chair.

Cuire en papillote : cuire au four des aliments enveloppés dans du papier d'aluminium ou du papier parchemin.

Cuire à broil : faire griller le dessus d'un aliment ou d'une préparation en utilisant uniquement l'élément chauffant supérieur de four.

Dumpling : à base de pâte sucrée ou salée, le dumpling est souvent servi sous l'apparence d'une petite sphère qui a été pochée dans un bouillon ou un sirop, ou simplement cuite au four.

Fouetter : battre une préparation avec vigueur à l'aide d'un fouet afin de lui donner une consistance homogène ou de lui procurer une texture lisse et onctueuse.

Roux : préparation composée d'une part égale de beurre et de farine que l'on utilise comme agent épaississant, notamment dans les sauces blanches, comme la béchamel.

Réserver : mettre de côté un élément qui entre dans la composition d'un mets avant de le reprendre pour en faire une nouvelle fois usage. On peut réserver à la température ambiante, au froid ou au chaud. Habituellement, ce délai est assez court.

Pincée : toute petite quantité de quelque chose qui peut tenir entre le pouce et l'index (sel, cannelle, flocons de piment, etc.).

Saupoudrer : couvrir d'une fine couche de poudre (farine, sucre, etc.) une préparation ou une composition culinaire.

Wok : d'origine chinoise, le wok est une grande poêle de forme demi-sphérique dont les rebords très hauts permettent une maniabilité appréciable lors de la cuisson des sautés.

Zeste : partie de la peau des agrumes que l'on prélève en surface et qui sert à parfumer les préparations, les boissons, les desserts, etc.

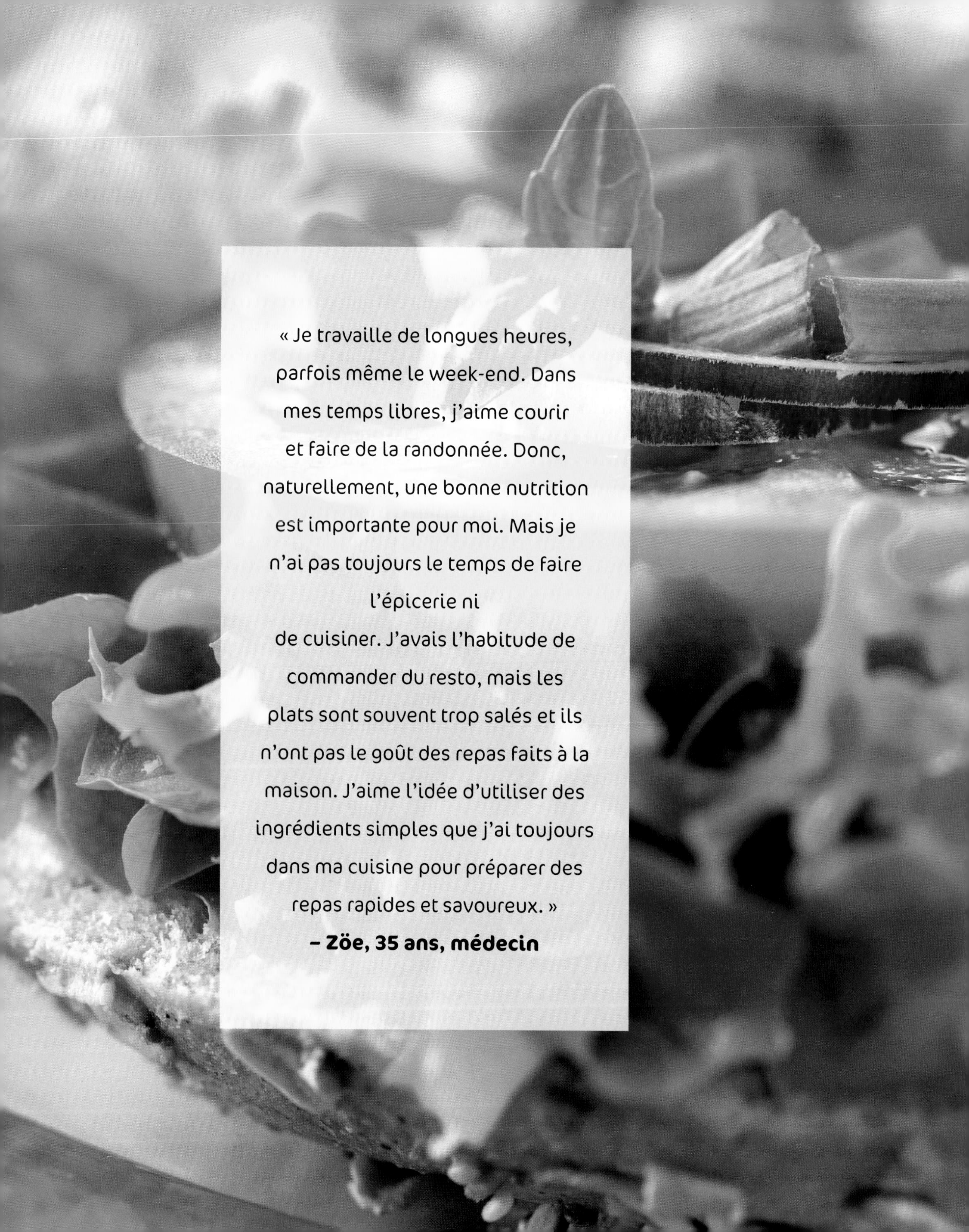

« Je travaille de longues heures, parfois même le week-end. Dans mes temps libres, j'aime courir et faire de la randonnée. Donc, naturellement, une bonne nutrition est importante pour moi. Mais je n'ai pas toujours le temps de faire l'épicerie ni
de cuisiner. J'avais l'habitude de commander du resto, mais les plats sont souvent trop salés et ils n'ont pas le goût des repas faits à la maison. J'aime l'idée d'utiliser des ingrédients simples que j'ai toujours dans ma cuisine pour préparer des repas rapides et savoureux. »

– Zöe, 35 ans, médecin

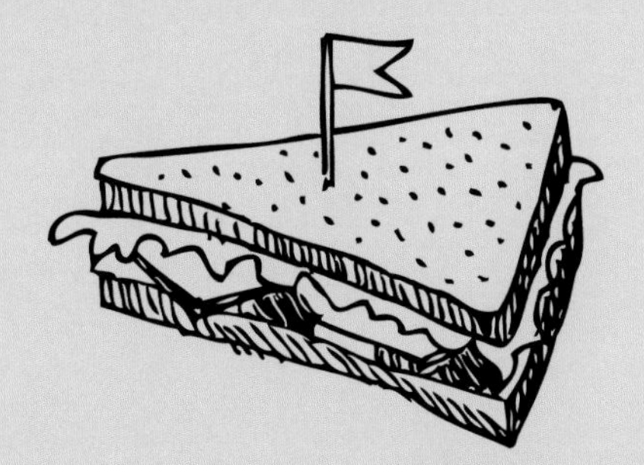

Salades et sandwichs

SALADE DE COUSCOUS

Pour 6 à 8 personnes. Préparation : 15 minutes • Repos au frigo : 60 minutes

INGRÉDIENTS DE BASE

- ☐ 2 tasses de couscous
- ☐ 1 boîte de pois chiches rincés et égouttés
- ☐ 3 c. à soupe d'huile d'olive
- ☐ 1 c. à soupe d'origan
- ☐ Sel et poivre au goût

3 INGRÉDIENTS VEDETTES

- ☐ 1/2 tasse de persil frais haché
- ☐ 1 tasse d'arilles (grains de pomme grenade)
- ☐ 2 c. à soupe de jus de citron

- Dans une casserole, porter à ébullition 2 1/4 tasses d'eau. Ajouter le couscous, mélanger et retirer la casserole du feu. Couvrir et laisser reposer au moins 5 minutes.
- Dans un grand bol, mélanger les pois chiches, le persil et les arilles.
- Dans un petit bol, mélanger le jus de citron, l'huile d'olive et l'origan. Saler et poivrer. Verser la vinaigrette sur le mélange de pois chiches.
- Ajouter le couscous. Avec une fourchette, briser les gros morceaux de couscous et bien mélanger.
- Réfrigérer au moins 1 heure et servir frais.

UN PETIT EXTRA Vous pouvez ajouter de l'oignon rouge haché à cette recette. Assez complète pour constituer un repas, cette salade accompagne bien le poisson.

SALADE AU SAUMON ET AUX POIS CHICHES

Pour 4 à 6 personnes. Préparation : 15 minutes

INGRÉDIENTS DE BASE

- ☐ 2 c. à soupe d'huile d'olive
- ☐ 1 c. à soupe d'origan
- ☐ Sel et poivre au goût
- ☐ 1 boîte de pois chiches rincés et égouttés
- ☐ 2 boîtes de saumon égoutté et émietté

3 INGRÉDIENTS VEDETTES

- ☐ Le jus d'un citron
- ☐ 1 poivron vert coupé en dés
- ☐ 12 tomates cerises coupées en 2

- Dans un petit bol, combiner l'huile d'olive, le jus du citron et l'origan. Saler et poivrer. Bien mélanger.
- Dans un grand bol, mélanger les pois chiches, le poivron vert et les tomates cerises. Ajouter le saumon et la vinaigrette, et bien mélanger.
- Servir frais.

UN PETIT EXTRA Pour une présentation colorée, servez la salade dans des poivrons rouges, orange ou jaunes coupés en 2 et épépinés.

Le saviez-vous ?
Les arêtes du saumon et du thon en boîte sont une excellente source de calcium. Consommez-les ; vos os vous en remercieront !

SALADE COLORÉE DE LÉGUMINEUSES

Pour 6 à 8 personnes. Préparation : 15 minutes • Repos au frigo : 20 minutes

INGRÉDIENTS DE BASE

- ☐ 1 boîte de haricots rouges rincés et égouttés
- ☐ 1 boîte de pois chiches rincés et égouttés
- ☐ 1/2 oignon moyen haché
- ☐ 3 c. à soupe d'huile d'olive
- ☐ 1 c. à soupe de mélange italien
- ☐ Sel et poivre au goût

3 INGRÉDIENTS VEDETTES

- ☐ 2 poivrons coupés en morceaux
- ☐ 1 concombre anglais coupé en cubes
- ☐ 2 ou 3 c. à soupe de jus de citron

- Déposer tous les ingrédients dans un grand saladier et bien mélanger. Saler et poivrer.
- Réfrigérer et servir frais avec du couscous ou du pain.

UN PETIT EXTRA Ajoutez du céleri, des cœurs d'artichauts ou de palmier à cette salade et garnissez le tout de persil frais finement haché.

Le saviez-vous ?
La majorité des vitamines du concombre se retrouve dans sa pelure. Elle contient beaucoup de vitamine K et de bêta-carotène.

SALADE DE PÂTES À LA GRECQUE

Pour 4 personnes. Préparation : 10 minutes • Cuisson : 15 minutes

INGRÉDIENTS DE BASE

- ☐ 2 tasses de pâtes
- ☐ 2 c. à soupe d'origan
- ☐ Poivre au goût
- ☐ 2 à 4 c. à soupe d'huile d'olive

3 INGRÉDIENTS VEDETTES

- ☐ 200 g de feta émietté
- ☐ 1 tasse d'olives noires marinées (pas en conserve), tranchées ou entières
- ☐ 10 à 15 tomates cerises coupées en 4

- Faire cuire les pâtes en suivant les instructions sur l'emballage. Égoutter et réserver à température ambiante.
- Dans un grand saladier, mélanger le feta, les olives noires, les tomates cerises et l'origan. Poivrer et verser 2 c. à soupe d'huile d'olive.
- Ajouter les pâtes et bien mélanger. Verser le reste de l'huile d'olive et mélanger de nouveau.
- Servir frais.

UN PETIT EXTRA Ajoutez du persil italien à cette salade assez copieuse pour constituer un repas, mais qui accompagne bien les viandes et les poissons grillés.

Le saviez-vous ?
Le vrai fromage feta est fait avec du lait de chèvre ou de brebis. Le nom « feta » est une appellation d'origine protégée (AOP).

SANDWICH FONDANT À LA DINDE

Pour 2 personnes. Préparation : 10 minutes • Cuisson : 5 minutes

INGRÉDIENTS DE BASE

- ☐ 1 c. à soupe de beurre pour les champignons et 4 c. à thé pour le pain
- ☐ 2 c. à thé de thym
- ☐ Sel et poivre au goût
- ☐ 4 tranches de pain

3 INGRÉDIENTS VEDETTES

- ☐ 1 tasse de champignons blancs
- ☐ 4 tranches de fromage provolone ou mozzarella
- ☐ 6 tranches minces de dinde

- Trancher finement les champignons.
- Dans une casserole, faire fondre le beurre à feu moyen. Ajouter les champignons et le thym. Saler et poivrer. Faire sauter jusqu'à ce que le volume réduise de moitié.
- Faire griller le pain. Tartiner chaque tranche de 1 c. à thé de beurre.
- Garnir les sandwichs d'une tranche de fromage, de 3 tranches de dinde, de la moitié des champignons et d'une autre tranche de fromage. Les champignons doivent être au milieu afin que le pain ne devienne pas détrempé.

UN PETIT EXTRA Utiliser des pains à paninis. Tartinez l'une des tranches de pain de moutarde de Dijon.

Le saviez-vous ?
Pour bien fonctionner, la glande thyroïde a besoin de sélénium. La dinde en est une bonne source.

SANDWICH AU JAMBON, AU FROMAGE ET AUX POMMES

Pour 2 personnes. Préparation : 10 minutes • Cuisson : 3 minutes

INGRÉDIENTS DE BASE

- ☐ 4 tranches de pain
- ☐ 4 c. à thé de beurre
- ☐ Poivre (au goût)

3 INGRÉDIENTS VEDETTES

- ☐ 6 tranches de jambon
- ☐ 1 pomme Granny Smith en tranches minces
- ☐ 4 tranches de fromage provolone ou suisse

- Faire griller le pain. Tartiner chaque tranche de 1 c. à thé de beurre.
- Garnir les sandwichs de jambon, de tranches de pomme et de fromage. La pomme doit être entre le jambon et le fromage afin que le pain ne devienne pas détrempé. Poivrer et fermer les sandwichs.

UN PETIT EXTRA Remplacer la pomme par une poire ou de minces tranches d'ananas et ajouter des pousses diverses pour plus de fraîcheur. Pour une texture différente, variez la sorte de pain (baguette, ciabatta, fougasse).

Le saviez-vous ?

Les pommes vertes, rouges et jaunes contiennent des catéchines, un puissant antioxydant.

QUESADILLAS AU PORC

Pour 2 à 4 personnes. Préparation : 10 minutes • Cuisson : 15 minutes

INGRÉDIENTS DE BASE

- ☐ 2 c. à soupe d'huile d'olive
- ☐ 2 gousses d'ail
- ☐ 1 gros oignon haché finement
- ☐ 4 tortillas ou 2 pains pitas séparés en 2 (4 ronds)

3 INGRÉDIENTS VEDETTES

- ☐ 1 c. à soupe d'assaisonnement tex-mex
- ☐ 500 g de porc haché
- ☐ 1/2 tasse de salsa douce, moyenne, forte ou extra forte

- Dans une grande casserole, faire chauffer l'huile d'olive à feu moyen-élevé. Ajouter l'assaisonnement tex-mex, l'ail et l'oignon. Cuire pendant environ 1 minute.
- Ajouter le porc haché. Briser les gros morceaux et remuer jusqu'à cuisson complète. Ajouter la salsa.
- Sur la moitié du tortilla, déposer 2 ou 3 généreuses cuillerées du mélange de porc. Replier le tortilla.
- Faire griller des 2 côtés dans un presse-sandwich ou dans une grande poêle antiadhésive.

UN PETIT EXTRA Accompagnez d'une salade de maïs, de tomate et de coriande.

Le saviez-vous ?

La recette originale de la quesadilla est simple : du fromage dans un pain tortilla. Avec le temps, la quesadilla a évolué et inclut aujourd'hui des garnitures telles que de la viande et des légumes.

SANDWICH CAPRESE

Pour 2 personnes. Préparation : 5 minutes • Cuisson : 3 minutes

INGRÉDIENTS DE BASE

- ☐ 4 tranches de pain grillées
- ☐ 4 c. à thé d'huile d'olive
- ☐ Sel et poivre au goût

3 INGRÉDIENTS VEDETTES

- ☐ 1 tomate tranchée
- ☐ 1 boule de mozzarella fraîche tranchée
- ☐ 6 feuilles de basilic frais

- Badigeonner chaque tranche de pain de 1 c. à thé d'huile d'olive.
- Répartir les tranches de tomate, la mozzarella et les feuilles de basilic sur 2 tranches de pain. Saler et poivrer.
- Recouvrir avec les 2 autres tranches de pain.
- Faire griller des 2 côtés dans un presse-sandwich ou dans une grande poêle antiadhésive.

UN PETIT EXTRA Versez un filet de vinaigre balsamique vieilli sur les tomates et le fromage.

WRAP D'INSPIRATION NIÇOISE

Pour 2 personnes. Préparation : 10 minutes. • Cuisson : 10 minutes

INGRÉDIENTS DE BASE

- ☐ 4 c. à thé de beurre
- ☐ 4 tortillas ou 2 pains pitas séparés en 2 (4 ronds)
- ☐ 2 boîtes de thon égoutté
- ☐ Poivre au goût

3 INGRÉDIENTS VEDETTES

- ☐ 2 œufs cuits durs
- ☐ 4 feuilles de laitue romaine
- ☐ 1/2 tasse d'olives noires marinées (pas en conserve), hachées

- Écaler les œufs et les couper en 2 dans le sens de la longueur. Couper chaque moitié en 3 morceaux.
- Beurrer chaque tortilla de 1 c. à thé de beurre et déposer une ou deux feuilles de laitue.
- Émietter le thon sur la laitue, déposer 3 morceaux d'œufs et parsemer d'olives noires marinées. Poivrer.
- Rouler délicatement et fixer avec un cure-dent si nécessaire.

UN PETIT EXTRA Pour rehausser le goût de ce wrap, ajouter de l'oignon rouge et de l'aneth frais haché.

Le saviez-vous ?

Les olives noires sont plus mûres que les olives vertes. Le goût légèrement amer de l'olive verte est dû à l'oléuropéine, un composé phytochimique présent dans les feuilles de l'olivier. Lors du mûrissement des olives, des enzymes transforment l'oléuropéine, et la concentration en sucre augmente.

SANDWICH AU POULET GRILLÉ ET AU HOUMOUS

Pour 2 personnes. Préparation : 15 minutes • Repos au frigo : 60 minutes
Cuisson : 15 minutes

INGRÉDIENTS DE BASE

- ☐ 1 boîte de pois chiches rincés et égouttés
- ☐ 1/2 tasse d'huile d'olive
- ☐ Sel et poivre au goût
- ☐ 4 gousses d'ail hachées
- ☐ 1 c. à soupe d'origan
- ☐ 2 pains pitas coupés en 2

3 INGRÉDIENTS VEDETTES

- ☐ 2 citrons
- ☐ 1/4 de tasse de crème sure
- ☐ 2 poitrines de poulet désossées, sans la peau, coupées en lanières

Pour le houmous :

- Verser les pois chiches, 1/4 de tasse d'huile d'olive et le jus de 1 citron dans un robot culinaire et mélanger jusqu'à consistance lisse. Saler et poivrer. Réserver au frigo.

Pour le poulet :

- Dans un plat, mélanger l'ail, la crème sure, 1/4 de tasse d'huile d'olive, le jus de 1 citron et l'origan. Saler et poivrer. Incorporer le poulet, couvrir et laisser mariner au frigo pendant 1 heure.
- Faire griller le poulet dans un poêlon jusqu'à cuisson complète.
- Ouvrir les pochettes de pita, tartiner généreusement de houmous et garnir de poulet. Refermer les pochettes et les rouler pour garder les ingrédients à l'intérieur du pain.

UN PETIT EXTRA Ajoutez de la laitue, des tomates tranchées et des navets marinés à ce sandwich, et vous voilà avec un shish-taouk vite fait !

CROQUE-MONSIEUR OUVERT

Pour 2 personnes. Préparation : 5 minutes • Cuisson : 5 minutes

INGRÉDIENTS DE BASE

- ☐ 4 tranches de pain
- ☐ 2 c. à thé de beurre

3 INGRÉDIENTS VEDETTES

- ☐ 2 c. à thé de moutarde de Dijon
- ☐ 8 tranches de jambon Forêt-Noire
- ☐ 8 tranches d'emmenthal

- Préchauffer le four à 375 °F (190 °C).
- Déposer le pain sur une plaque à biscuits. Tartiner chaque tranche de beurre et de moutarde de Dijon.
- Placer 2 tranches de jambon et 2 tranches de fromage sur chaque tranche de pain.
- Cuire au four jusqu'à ce que le fromage soit fondu et légèrement bruni sur la surface.

UN PETIT EXTRA Pour un repas léger et satisfaisant, servez le croque-monsieur ouvert avec une salade mesclun.

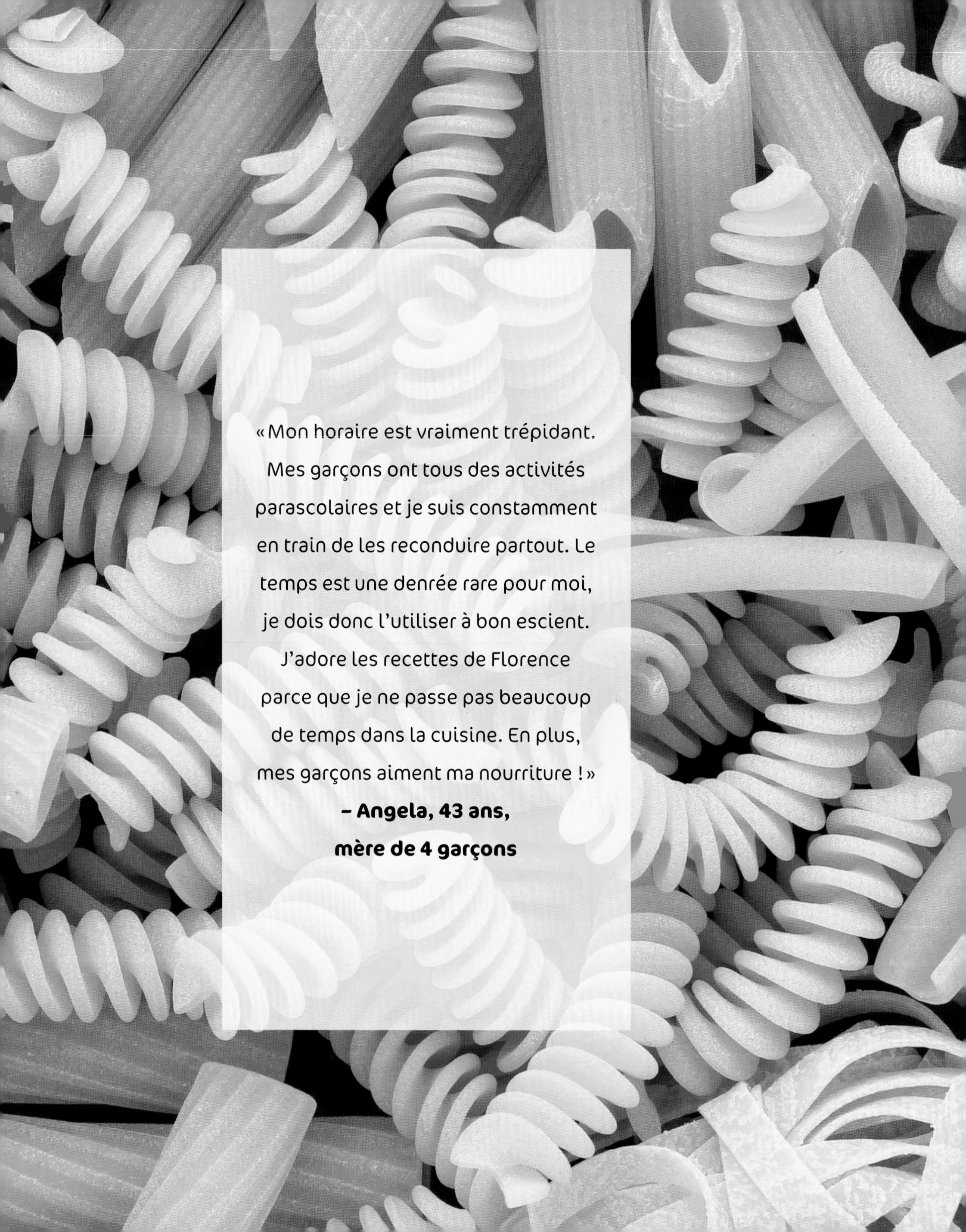

« Mon horaire est vraiment trépidant. Mes garçons ont tous des activités parascolaires et je suis constamment en train de les reconduire partout. Le temps est une denrée rare pour moi, je dois donc l'utiliser à bon escient. J'adore les recettes de Florence parce que je ne passe pas beaucoup de temps dans la cuisine. En plus, mes garçons aiment ma nourriture ! »

– Angela, 43 ans,
mère de 4 garçons

Pâtes

PÂTES CRÉMEUSES AU JAMBON ET AUX PETITS LÉGUMES

Pour 4 à 6 personnes. Préparation : 10 minutes • Cuisson : 20 minutes

INGRÉDIENTS DE BASE

- ☐ 2 tasses de pâtes
- ☐ 2 c. à soupe d'huile d'olive
- ☐ 1 oignon moyen haché finement
- ☐ 3 c. à soupe de beurre
- ☐ 3 c. à soupe de farine
- ☐ 2 c. à soupe de mélange italien
- ☐ 3 tasses de lait
- ☐ 1 tasse de petits pois et de carottes surgelés
- ☐ Poivre au goût

3 INGRÉDIENTS VEDETTES

- ☐ 1 tasse de cheddar extra fort râpé
- ☐ 300 g de jambon en bâtonnets ou en cubes
- ☐ Parmesan râpé au goût

- Faire cuire les pâtes en suivant les instructions sur l'emballage. Égoutter et réserver à température ambiante.
- Dans une grande casserole, faire chauffer l'huile d'olive à feu moyen-élevé et faire revenir l'oignon et le jambon jusqu'à ce que ce dernier soit légèrement croustillant, si désiré. Réserver dans une grande assiette à température ambiante.
- Dans la même poêle, faire fondre le beurre à feu moyen. Saupoudrer de farine et fouetter pendant 1 minute ou jusqu'à ce que le mélange soit doré. Ajouter le mélange italien.
- Augmenter le feu à moyen-élevé. Verser lentement le lait, une tasse à la fois, en fouettant. Fouetter jusqu'à ce que la sauce soit crémeuse. Ajouter le cheddar et retirer du feu. Mélanger jusqu'à ce que le fromage soit fondu.
- Incorporer les petits pois et les carottes surgelés, ainsi que le jambon. Poivrer.
- Verser sur les pâtes et garnir de parmesan râpé.

PÂTES CRÉMEUSES AU FROMAGE

Pour 8 personnes. Préparation : 10 minutes • Cuisson : 40 minutes

INGRÉDIENTS DE BASE

- ☐ 2 tasses de pâtes
- ☐ 3 c. à soupe de beurre
- ☐ 3 c. à soupe de farine
- ☐ 2 c. à soupe de mélange italien
- ☐ 2 tasses de lait
- ☐ 1 tasse de petits pois et de carottes surgelés
- ☐ Sel et poivre au goût

3 INGRÉDIENTS VEDETTES

- ☐ 3 tasses de cheddar fort râpé
- ☐ 2 c. à soupe de moutarde à l'ancienne
- ☐ 1/2 tasse de basilic frais haché

- Faire cuire les pâtes 3 minutes de moins que les indications sur l'emballage. Égoutter et déposer dans un plat beurré allant au four.
- Préchauffer le four à 350 °F (180 °C).
- Dans une casserole, à feu moyen, faire chauffer le beurre. Saupoudrer de farine et fouetter pendant 1 minute ou jusqu'à ce que le mélange soit doré. Ajouter le mélange italien.
- Augmenter le feu à moyen-élevé. Verser le lait graduellement, une tasse à la fois, en fouettant. Fouetter jusqu'à ce que la sauce devienne légèrement épaisse. Éteindre le feu et laisser la casserole sur l'élément chauffant. Incorporer 2 tasses de cheddar, la moutarde à l'ancienne, le basilic, les petits pois et les carottes surgelés. Mélanger jusqu'à ce que le fromage soit fondu. Saler et poivrer.
- Verser la sauce sur les pâtes. Bien mélanger et garnir de 1 tasse de cheddar râpé.
- Cuire au four pendant 30 minutes.

PÂTES AUX SAUCISSES ET AUX POIVRONS

Pour 4 personnes. Préparation : 10 minutes • Cuisson : 20 minutes

INGRÉDIENTS DE BASE

- ☐ 2 tasses de pâtes
- ☐ 2 c. à soupe d'huile d'olive
- ☐ 1 c. à soupe d'origan
- ☐ Sel et poivre au goût

3 INGRÉDIENTS VEDETTES

- ☐ 4 saucisses italiennes
- ☐ 1 gros oignon rouge
- ☐ 2 poivrons

- Faire cuire les pâtes en suivant les indications sur l'emballage. Égoutter et réserver à température ambiante.
- Piquer les saucisses pour que la vapeur s'échappe durant la cuisson.
- Couper l'oignon en tranches épaisses.
- Couper le dessus des poivrons et les épépiner. Couper les poivrons dans le sens de la longueur, en 8 tranches épaisses.
- Faire chauffer l'huile d'olive dans une grande poêle et faire revenir les saucisses jusqu'à ce que l'extérieur soit croustillant et que la chair soit cuite. Réserver dans une grande assiette.
- Dans la même poêle, faire revenir l'oignon, l'origan et les poivrons. Cuire jusqu'à ce que les légumes soient tendres.
- Remettre les saucisses dans la poêle, mélanger et servir avec des pâtes.

UN PETIT EXTRA Complétez ce repas simple et délicieux avec une salade simple et délicieuse. Dans un bol, déposez 2 tasses de laitue mesclun. Assaisonnez de 2. c à soupe de mayonnaise, 1 c. à soupe de jus de citron, de sel et de poivre.

PESTO D'AMANDES

Pour 4 personnes. Préparation : 5 minutes

INGRÉDIENTS DE BASE

- ☐ 1 ou 2 gousses d'ail
- ☐ 1 c. à soupe d'origan
- ☐ 2 tasses d'huile d'olive
- ☐ Sel et poivre au goût

3 INGRÉDIENTS VEDETTES

- ☐ 1/2 tasse d'amandes
- ☐ 5 tasses de feuilles de basilic
- ☐ 1/2 tasse de parmesan râpé

- Dans un mélangeur ou au robot culinaire, déposer les amandes, le basilic, l'ail, l'origan, le parmesan et 1 tasse d'huile d'olive. Mélanger jusqu'à consistance lisse.
- Pendant que l'appareil est en marche, verser lentement le reste de l'huile d'olive. Mélanger jusqu'à ce que le pesto soit lisse et homogène.
- Servir sur des pâtes.

UN PETIT EXTRA Vous pouvez faire ce pesto avec un mélange d'amandes et de noix de Grenoble.

Le saviez-vous ?

Les amandes sont une excellente source de vitamine E. Plusieurs études ont lié la consommation de vitamine E à une diminution des maladies cardiaques, du cancer et de la maladie d'Alzheimer.

PASTA E FAGIOLI

(PÂTES ET HARICOTS À L'ITALIENNE)

Pour 4 personnes. Préparation : 10 minutes • Cuisson : 20 minutes

INGRÉDIENTS DE BASE

- [ ] 2 tasses de pâtes
- [ ] 2 c. à soupe d'huile d'olive
- [ ] 1 oignon moyen haché finement
- [ ] 3 gousses d'ail hachées finement
- [ ] 1 c. à soupe d'origan
- [ ] 1 c. à soupe de mélange italien
- [ ] 1 boîte de haricots au choix, rincés et égouttés

3 INGRÉDIENTS VEDETTES

- [ ] 1 branche de céleri hachée
- [ ] 4 tomates fraîches (de préférence italiennes), en cubes
- [ ] 1/2 tasse de parmesan râpé

- Faire cuire les pâtes en suivant les instructions sur l'emballage. Égoutter et réserver à température ambiante.
- Dans une grande casserole, faire chauffer l'huile d'olive à feu moyen-élevé. Faire revenir l'oignon, le céleri et l'ail jusqu'à ce qu'ils soient tendres. Ajouter l'origan, le mélange italien, les tomates et les haricots. Baisser le feu, couvrir et laisser mijoter pendant 10 minutes ou jusqu'à ce que les haricots et les tomates aient ramolli. Incorporer les pâtes et parsemer de parmesan. Servir immédiatement.

UN PETIT EXTRA Traditionnellement, *pasta e fagioli* est un repas sans viande, mais vous pouvez ajouter de la saucisse italienne forte à ce mets. Servez-le avec du parmesan fraîchement râpé.

SAUCE À SPAGHETTI DE GRAND-MAMAN

Pour 4 personnes. Préparation : 10 minutes • Cuisson : 30 minutes

INGRÉDIENTS DE BASE

- ☐ 2 c. à soupe d'huile d'olive
- ☐ 4 gousses d'ail hachées
- ☐ 1 petit oignon haché
- ☐ 2 c. à soupe de mélange italien
- ☐ 1 c. à soupe d'origan
- ☐ Sel et poivre au goût
- ☐ 1 c. à soupe de sucre
- ☐ 1 tasse de petits pois et de carottes surgelés

3 INGRÉDIENTS VEDETTES

- ☐ 2 branches de céleri hachées
- ☐ 500 g de bœuf, porc ou veau haché
- ☐ 1 boîte (900 ml) de sauce tomate

- Dans une grande casserole, faire chauffer l'huile d'olive à feu moyen-élevé. Faire cuire l'ail, l'oignon, le céleri, la viande hachée, le mélange italien et l'origan jusqu'à ce que la viande soit bien cuite. Au besoin, briser les gros morceaux de viande hachée. Saler et poivrer.
- Ajouter la sauce tomate et le sucre. Laisser mijoter pendant 30 minutes.
- Ajouter les petits pois et les carottes. Laisser mijoter pendant 10 minutes.
- Servir sur des pâtes.

UN PETIT EXTRA Vous pouvez ajouter une feuille de laurier à cette sauce. À table, versez un filet d'huile au chili sur votre plat de pâtes.

Le saviez-vous ?
Le sucre aide à unifier les saveurs dans une sauce tomate. Il équilibre également l'acidité et révèle la douceur naturelle de la tomate.

PASTA ALLA « THONANESCA »

Pour 4 personnes. Préparation : 10 minutes • Cuisson : 10 minutes

INGRÉDIENTS DE BASE

- ☐ 2 tasses de pâtes
- ☐ 2 c. à soupe d'huile d'olive
- ☐ 1 c. à soupe d'origan
- ☐ 1 c. à soupe de mélange italien
- ☐ 2 boîtes de thon égoutté et émietté
- ☐ Poivre au goût

3 INGRÉDIENTS VEDETTES

- ☐ 2 c. à thé de flocons de chili
- ☐ 12 olives noires ou vertes marinées (pas en conserve), entières ou en tranches
- ☐ 1 boîte (400 ml) de tomates concassées

- Faire cuire les pâtes en suivant les instructions sur l'emballage. Égoutter et réserver à température ambiante.
- Dans une grande casserole, faire chauffer l'huile d'olive à feu moyen-élevé. Ajouter les flocons de chili, l'origan et le mélange italien. Faire chauffer pendant 1 minute.
- Ajouter le thon et les olives. Briser le thon tout en laissant intacts quelques gros morceaux.
- Incorporer les tomates concassées. Laisser mijoter de 3 à 5 minutes.
- Ajouter les pâtes, poivrer et bien mélanger. Servir immédiatement.

UN PETIT EXTRA Cette recette est une version simplifiée des *pasta alla puttanesca*. Pour un goût plus authentique, ajoutez des anchois et des câpres à la sauce.

PÂTES ÉPICÉES DE SINGAPOUR

Pour 4 personnes. Préparation : 10 minutes • Cuisson : 15 minutes

INGRÉDIENTS DE BASE

- ☐ 2 tasses de pâtes
- ☐ 2 c. à soupe d'huile d'olive
- ☐ 1 gros oignon tranché finement
- ☐ 2 c. à soupe de poudre de cari
- ☐ 1 c. à soupe de sauce soya
- ☐ Poivre au goût

3 INGRÉDIENTS VEDETTES

- ☐ 2 poivrons (1 rouge, 1 vert) en julienne
- ☐ 1 grosse carotte en julienne
- ☐ 1 tasse de crevettes moyennes décortiquées

- Faire cuire les pâtes en suivant les instructions sur l'emballage. Égoutter et réserver à température ambiante.
- Dans une grande casserole, faire chauffer l'huile d'olive à feu moyen-élevé. Faire revenir l'oignon jusqu'à ce qu'il soit tendre. Ajouter la poudre de cari et faire griller pendant 1 minute.
- Ajouter les légumes et les crevettes, et bien mélanger. Cuire jusqu'à ce que les crevettes soient rosées et les légumes tendres.
- Verser la sauce soya, poivrer et incorporer les pâtes. Servir immédiatement.

UN PETIT EXTRA Remplacez les crevettes par du poulet ou du tofu.

Le saviez-vous ?
Malgré son nom, ce plat n'a rien à voir avec Singapour. On le retrouve souvent dans les restaurants de style cantonais.

PÂTES CRÉMEUSES AU POULET CITRONNÉ

Pour 4 personnes. Préparation : 10 minutes • Cuisson : 20 minutes

INGRÉDIENTS DE BASE

- [ ] 2 tasses de pâtes
- [ ] 2 c. à soupe d'huile d'olive
- [ ] 1 petit oignon haché
- [ ] 1 c. à soupe de thym
- [ ] Sel et poivre au goût

3 INGRÉDIENTS VEDETTES

- [ ] 2 poitrines de poulet désossées, sans la peau, coupées en cubes
- [ ] Le jus et le zeste de 1 citron
- [ ] 1 tasse de ricotta

- Faire cuire les pâtes en suivant les instructions sur l'emballage. Réserver 1/3 de tasse d'eau de cuisson. Égoutter les pâtes et réserver à température ambiante.
- Dans une grande casserole, faire chauffer l'huile d'olive à feu moyen-élevé et faire revenir l'oignon et le poulet 5 minutes ou jusqu'à ce que le poulet soit cuit. Ajouter le thym.
- Verser l'eau des pâtes et le jus de citron, puis ajouter la ricotta et le zeste de citron. Mélanger. Porter à ébullition et cuire pendant 2 minutes.
- Saler, poivrer et servir immédiatement sur les pâtes.

UN PETIT EXTRA Garnissez les pâtes de câpres et accompagnez-les de haricots verts cuits à la vapeur ou grillés.

Le saviez-vous ?
Le fromage ricotta contient presque 3 fois plus de calcium que le fromage cottage.

PÂTES DE STYLE TEX-MEX

Pour 4 personnes. Préparation : 10 minutes • Cuisson : 20 minutes

INGRÉDIENTS DE BASE

- ☐ 2 tasses de pâtes
- ☐ 1 c. à soupe d'huile d'olive
- ☐ 1 c. à soupe d'origan
- ☐ 1 boîte de haricots rouges ou noirs rincés et égouttés
- ☐ 1 tasse de petits pois et de carottes surgelés
- ☐ Sel et poivre au goût

3 INGRÉDIENTS VEDETTES

- ☐ 375 g de porc haché
- ☐ 1/2 tasse de salsa douce, moyenne, forte ou extra forte
- ☐ 1 tasse de cheddar râpé

- Faire cuire les pâtes en suivant les instructions sur l'emballage. Égoutter et réserver à température ambiante.
- Dans une grande casserole, faire chauffer l'huile d'olive à feu moyen-élevé. Ajouter le porc haché et faire cuire jusqu'à ce que la viande commence à colorer, soit de 2 à 3 minutes. Incorporer l'origan et poursuivre la cuisson 2 minutes.
- Ajouter la salsa, les haricots, les petits pois et les carottes surgelés. Mélanger.
- Porter à ébullition, baisser le feu à moyen-doux et laisser mijoter 5 minutes.
- Incorporer les pâtes et poursuivre la cuisson à feu doux pendant 5 minutes. Saler et poivrer.
- Servir et garnir de cheddar râpé.

UN PETIT EXTRA Garnir chaque portion d'une généreuse cuillerée de crème sure et d'une généreuse cuillerée de guacamole.

PÂTES AUX CREVETTES, À L'AIL ET AU PERSIL

Pour 4 personnes. Préparation : 10 minutes • Cuisson : 15 minutes

INGRÉDIENTS DE BASE

- ☐ 2 tasses de pâtes
- ☐ 2 c. à soupe d'huile d'olive
- ☐ 1 c. à soupe de beurre
- ☐ 2 gousses d'ail hachées finement
- ☐ Sel et poivre au goût

3 INGRÉDIENTS VEDETTES

- ☐ 454 g (1 lb) de grosses crevettes décortiquées
- ☐ 2 c. à soupe de persil frais haché
- ☐ 2 c. à soupe de jus de citron

- Faire cuire les pâtes en suivant les instructions sur l'emballage. Égoutter et réserver à température ambiante.
- Dans une poêle, faire chauffer l'huile d'olive et le beurre à feu doux. Ajouter l'ail et faire cuire de 1 à 2 minutes afin que l'ail parfume l'huile (ne pas faire brunir l'ail).
- Augmenter le feu à moyen-élevé et faire cuire les crevettes jusqu'à ce qu'elles deviennent rosées. Saler et poivrer.
- Ajouter le persil, mélanger et retirer du feu.
- Servir sur les pâtes et arroser d'un filet d'huile d'olive.

UN PETIT EXTRA Pour donner plus de mordant aux pâtes, ajoutez 2 c. à soupe de ciboulette hachée avant de servir.

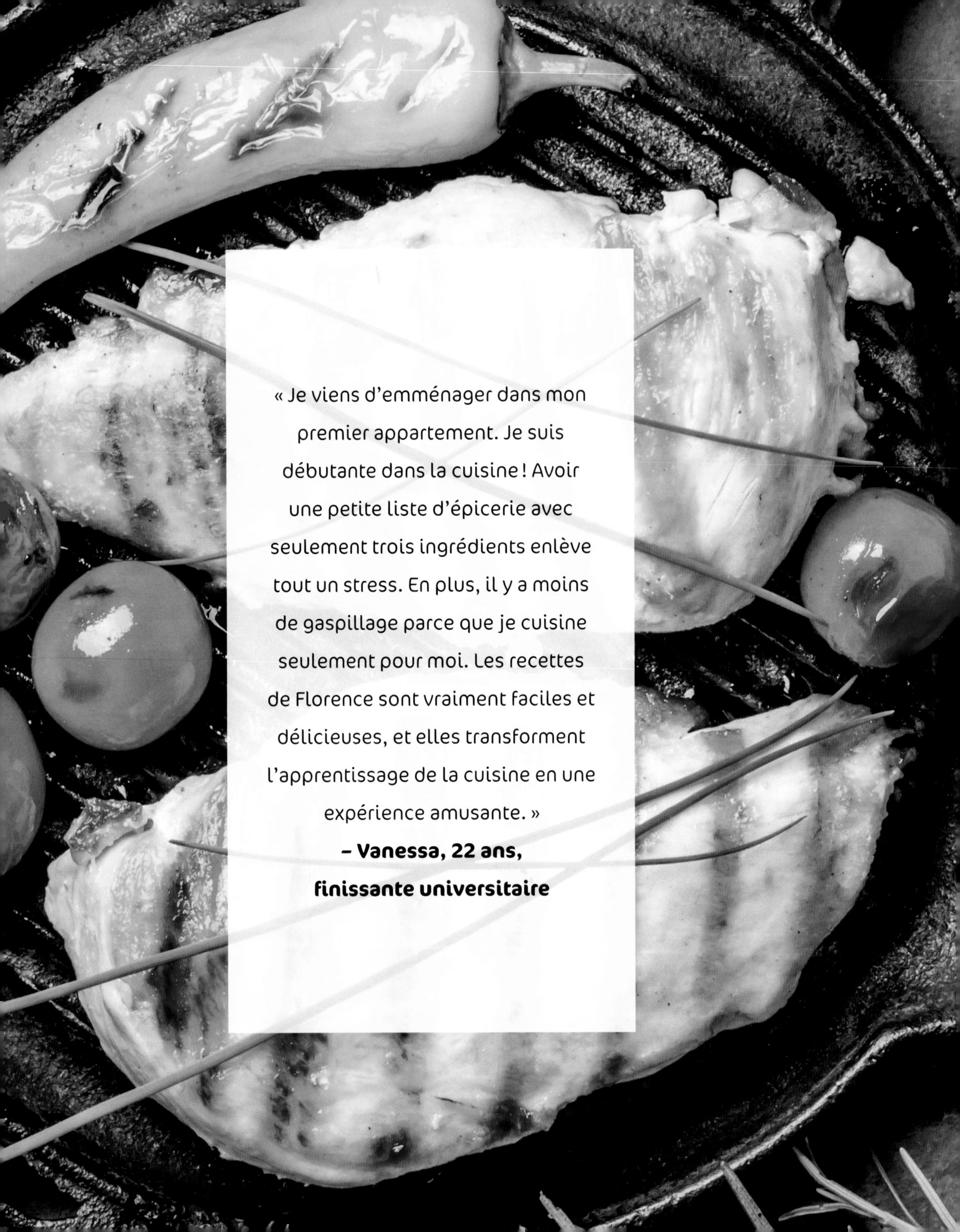

« Je viens d'emménager dans mon premier appartement. Je suis débutante dans la cuisine ! Avoir une petite liste d'épicerie avec seulement trois ingrédients enlève tout un stress. En plus, il y a moins de gaspillage parce que je cuisine seulement pour moi. Les recettes de Florence sont vraiment faciles et délicieuses, et elles transforment l'apprentissage de la cuisine en une expérience amusante. »

– Vanessa, 22 ans,
finissante universitaire

Poulet

POULET AUX ANANAS

Pour 4 à 6 personnes. Préparation : 10 minutes • Cuisson : 15 minutes

INGRÉDIENTS DE BASE

- ☐ 2 c. à thé de poudre de cari
- ☐ 2 c. à thé de thym
- ☐ 2 ou 3 c. à soupe de farine
- ☐ Sel et poivre au goût
- ☐ 2 c. à soupe d'huile d'olive
- ☐ 1 oignon moyen tranché
- ☐ 2 c. à soupe de sauce soya
- ☐ 2 c. à soupe de miel ou de cassonade

3 INGRÉDIENTS VEDETTES

- ☐ 2 poitrines de poulet (200 g chacune) en cubes
- ☐ 1 boîte (398 ml) d'ananas en dés, égouttés + 1/2 tasse du jus d'ananas
- ☐ 1 poivron rouge épépiné et coupé en lanières ou en morceaux

- Dans un grand bol, mélanger le poulet, le cari, le thym et la farine. Saler et poivrer.
- Dans une grande poêle, faire chauffer l'huile d'olive à feu moyen-élevé. Faire dorer les cubes de poulet et réserver dans une assiette.
- Dans la même poêle, faire revenir les ananas égouttés, l'oignon et le poivron. Ajouter un peu d'huile si nécessaire. Cuire de 1 à 2 minutes ou jusqu'à ce que les lanières de poivron soient légèrement tendres.
- Incorporer le poulet, la sauce soya, le miel ou la cassonade et le jus d'ananas. Couvrir et faire cuire à feu doux pendant 5 minutes. Saler et poivrer.
- Servir sur du riz.

UN PETIT EXTRA Garnissez ce plat d'arachides grillées et de minces tranches d'oignon rouge.

PILONS DE POULET À LA SAUCE AIGRE-DOUCE

Pour 4 personnes. Préparation : 10 minutes • Cuisson : 60 minutes

INGRÉDIENTS DE BASE

- ☐ 1/2 tasse de miel
- ☐ 2 c. à soupe d'huile d'olive
- ☐ 4 gousses d'ail hachées
- ☐ Sel et poivre au goût

3 INGRÉDIENTS VEDETTES

- ☐ 8 pilons de poulet avec la peau
- ☐ 1/2 tasse de vinaigre de cidre
- ☐ 2 c. à thé de gingembre râpé

- Préchauffer le four à 350 °F (180 °C).
- Déposer les pilons de poulet dans un grand bol.
- Dans un autre bol, mélanger 1/4 de tasse de miel, 1/4 de tasse de vinaigre de cidre, 1 c. à soupe d'huile d'olive, 1 c. à thé de gingembre et 2 gousses d'ail hachées. Saler et poivrer. Verser sur les pilons de poulet et bien mélanger.
- Déposer les pilons dans un plat allant au four et faire cuire pendant 20 minutes.
- Dans le bol ayant servi à faire la marinade, mélanger 1/4 de tasse de miel, 1/4 de tasse de vinaigre de cidre, 1 c. à soupe d'huile d'olive, 1 c. à thé de gingembre et 2 gousses d'ail râpées. Saler et poivrer. Cette nouvelle marinade servira à badigeonner le poulet durant la cuisson.
- Après 20 minutes de cuisson, badigeonner chaque pilon de marinade à l'aide d'un pinceau ou d'une cuillère.
- Répéter l'opération deux fois, pour un total de cuisson de 60 minutes.
- Servir avec du riz et des légumes asiatiques.

UN PETIT EXTRA Pour un goût plus relevé, ajoutez de la sauce piquante Tabasco à la marinade. Cette marinade peut être utilisée avec du porc.

POULET JAMAÏCAIN À LA JERK

Pour 4 personnes. Préparation : 10 minutes
Repos au frigo : au moins 20 minutes • Cuisson : 30 minutes

INGRÉDIENTS DE BASE

- ☐ 1 c. à soupe de thym
- ☐ 3 c. à thé de cannelle
- ☐ 3 c. à thé de muscade
- ☐ 1 c. à thé de poivre
- ☐ 3 c. à soupe de sauce soya
- ☐ 3 c. à soupe de miel
- ☐ 3 gousses d'ail hachées finement
- ☐ Huile d'olive

3 INGRÉDIENTS VEDETTES

- ☐ 8 cuisses ou pilons de poulet avec la peau
- ☐ 1/2 tasse de jus de lime (2 ou 3 limes)
- ☐ Sauce piquante au goût

- Déposer le poulet dans un grand plat.
- Dans un bol, mélanger le thym, la cannelle, la muscade, le poivre, la sauce soya, le miel, le jus de lime, l'ail et la sauce piquante.
- Verser sur le poulet et bien mélanger.
- Couvrir et laisser mariner au réfrigérateur pendant au moins 20 minutes, idéalement toute une nuit.
- Badigeonner d'huile d'olive une poêle striée. Faire chauffer à feu vif. Faire griller les cuisses ou les pilons de tous les côtés, réduire le feu à moyen et poursuivre la cuisson 15 minutes ou jusqu'à ce que le poulet soit cuit. Si vous n'avez pas de poêle striée, faites cuire le poulet pendant 1 heure à 350 °F (180 °C), puis pendant 5 minutes à broil.
- Servir avec du riz et des légumes.

POITRINES DE POULET FARCIES AUX ÉPINARDS ET AU FROMAGE

Pour 2 personnes. Préparation : 10 minutes • Cuisson : 20 minutes

INGRÉDIENTS DE BASE

- ☐ Mélange italien
- ☐ Sel et poivre au goût
- ☐ 2 à 4 c. à soupe d'huile d'olive

3 INGRÉDIENTS VEDETTES

- ☐ 2 tasses d'épinards frais
- ☐ 2 poitrines de poulet (200 g chacune) sans la peau
- ☐ 1/2 tasse de mozzarella râpée

- Faire faner les épinards au micro-ondes pendant 1 minute, puis les hacher finement.
- Couper les poitrines de poulet en 2 sur la longueur, mais pas jusqu'au bout. Aplatir avec un maillet si la viande est trop épaisse. Assaisonner du mélange italien des 2 côtés.
- Répartir le fromage sur chaque poitrine et couvrir des épinards. Saler et poivrer. Fermer avec des cure-dents.
- Dans un grand poêlon, faire chauffer l'huile d'olive à feu moyen-élevé. Faire dorer le poulet sur tous les côtés.
- Couvrir, réduire à feu doux et faire cuire de 8 à 10 minutes de chaque côté ou jusqu'à ce que le poulet soit cuit.
- Servir avec des pâtes au beurre et à l'origan ou avec des légumes grillés.

UN PETIT EXTRA Pour une version qui rappelle le classique poulet cordon bleu, garnissez le poulet d'une tranche de jambon. Pour une farce plus crémeuse, remplacez la mozzarella par de la ricotta.

Le saviez-vous ?
Les épinards sont riches en bêta-carotènes, ce qui aide à améliorer la vision nocturne.

TIKKA MASALA RAPIDE

Pour 4 personnes. Préparation : 5 minutes • Repos au frigo : 60 minutes • Cuisson : 25 minutes

INGRÉDIENTS DE BASE

- ☐ 3 gousses d'ail hachées finement
- ☐ 2 c. à soupe de poudre de cari
- ☐ Sel et poivre au goût
- ☐ 2 c. à soupe de beurre
- ☐ 1 c. à soupe d'huile d'olive
- ☐ 1 oignon moyen haché

3 INGRÉDIENTS VEDETTES

- ☐ 3 poitrines de poulet (200 g chacune) en cubes
- ☐ 1 tasse de yogourt nature
- ☐ 1 boîte (340 ml) de sauce tomate

- Dans un grand bol, déposer les poitrines de poulet et l'ail. Enrober de yogourt et de poudre de cari. Saler, poivrer, mélanger, couvrir et réfrigérer pendant 1 heure.
- Dans une grande casserole, faire chauffer le beurre et l'huile d'olive à feu moyen-élévé. Ajouter l'oignon. Faire dorer le poulet environ 8 minutes de chaque côté.
- Verser la sauce tomate et mélanger.
- Réduire à feu doux et laisser mijoter 10 minutes.
- Servir sur du riz.

UN PETIT EXTRA Pour un goût plus relevé, ajoutez du gingembre frais râpé à la marinade, et garnissez chaque portion de coriandre fraîche ciselée.

Le saviez-vous ?

Partout dans le monde, on produit du yogourt. Ici, on connaît le yogourt à base de lait de vache, mais le lait provenant des buffles d'eau, des chèvres, des brebis, des juments, des chameaux et des yaks est également utilisé dans la production de yogourt.

GÉNÉRAL TAO RAPIDE ET LÉGER

Pour 4 personnes. Préparation : 10 minutes • Cuisson : 20 minutes

INGRÉDIENTS DE BASE

- ☐ 1/4 de tasse de sauce soya
- ☐ 3 gousses d'ail hachées finement
- ☐ 1/4 de tasse de sucre
- ☐ 1/2 tasse de farine
- ☐ 1/4 de tasse d'huile d'olive

3 INGRÉDIENTS VEDETTES

- ☐ 1 c. à soupe de sauce piquante (Tabasco ou sriracha)
- ☐ 2 c. à thé d'huile de sésame
- ☐ 800 g à 1 kg de hauts de cuisses de poulet désossés, sans la peau, coupés en cubes

- Dans une petite casserole, verser 1/4 de tasse d'eau. Ajouter la sauce soya, l'ail, le sucre, la sauce piquante et l'huile de sésame. Porter à ébullition, réduire à feu doux et laisser la sauce réduire de trois quarts. Retirer du feu.
- Dans un bol, enrober les cubes de poulet de farine. Secouer et jeter l'excédent de farine.
- Dans une poêle, faire chauffer l'huile d'olive et faire frire le poulet jusqu'à ce qu'il soit doré et croustillant.
- Ajouter la sauce et mélanger.
- Servir immédiatement avec du riz et des légumes.

UN PETIT EXTRA Ajoutez 1 c. à soupe de gingembre râpé à la sauce.

Le saviez-vous ?
Pour des raisons inconnues, ce plat est appelé General Gau's Chicken (le poulet du général Gau) dans certaines régions des États-Unis.

POULET ET DUMPLINGS

Pour 4 personnes. Préparation : 10 minutes • Cuisson : 40 minutes

INGRÉDIENTS DE BASE

- ☐ 2 c. à soupe d'huile d'olive
- ☐ Sel et poivre au goût
- ☐ 1 oignon moyen haché
- ☐ 1 c. à soupe de thym
- ☐ 2 tasses de farine
- ☐ 6 c. à soupe de beurre fondu
- ☐ 2 tasses de petits pois et de carottes surgelés

3 INGRÉDIENTS VEDETTES

- ☐ 8 pilons de poulet avec la peau
- ☐ 10 tasses de bouillon de poulet
- ☐ 3/4 de tasse de babeurre

- Dans une grande casserole, faire chauffer l'huile d'olive à feu moyen-élevé. Saler et poivrer les pilons de poulet, et les faire dorer avec l'oignon 5 minutes de chaque côté.
- Verser le bouillon de poulet, ajouter le thym, couvrir et laisser mijoter pendant 20 minutes.
- Déposer la farine dans un grand bol. Saler, poivrer, puis incorporer le beurre et le babeurre. Réserver à température ambiante.
- Réduire le feu à doux et ajouter les petits pois et les carottes surgelés au poulet.
- À l'aide d'une grande cuillère, déposer le mélange à dumplings dans le bouillon de manière à former 8 boules de pâte.
- Couvrir et laisser mijoter de 12 à 15 minutes ou jusqu'à ce que les dumplings soient fermes.

UN PETIT EXTRA Pour faire des dumplings à la texture plus légère, ajoutez 1 c. à soupe de poudre à pâte à la farine. Vous pouvez également ajouter des fines herbes au mélange.

FAJITAS AU POULET

Pour 4 personnes. Préparation : 15 minutes • Cuisson : 15 minutes

INGRÉDIENTS DE BASE

- ☐ 4 c. à soupe d'huile d'olive
- ☐ 2 oignons tranchés
- ☐ Sel et poivre au goût
- ☐ 2 c. à thé d'origan
- ☐ 8 tortillas ou 4 pains pitas séparés en 2 (8 ronds)

3 INGRÉDIENTS VEDETTES

- ☐ 2 poivrons de différentes couleurs coupés en lanières
- ☐ 2 poitrines de poulet (200 g chacune) sans la peau, coupées en lanières
- ☐ 2 c. à soupe d'assaisonnement tex-mex

- Dans une grande poêle, faire chauffer 2 c. à soupe d'huile d'olive à feu moyen. Faire revenir les oignons et les poivrons jusqu'à ce qu'ils soient tendres et légèrement caramélisés. Saler, poivrer et réserver à température ambiante dans une grande assiette.
- Dans la même poêle, verser 2 c. à soupe d'huile d'olive et faire cuire le poulet avec l'origan et l'assaisonnement tex-mex.
- Servir le poulet et les légumes sur les tortillas et rouler.

UN PETIT EXTRA Remplacer les oignons réguliers par des oignons rouges. Servir ces fajitas avec un buffet de garnitures : de la crème sure, du guacamole, de la coriandre fraîche et du fromage râpé.

Le saviez-vous ?

Il existe une version nippo-mexicaine de la fajita. Dans ce plat fusion, des lanières de bœuf de Kobe sont marinées dans du wasabi, de l'huile de sésame et du gingembre.

RIZ CRÉMEUX AU POULET ET AU BROCOLI

Pour 4 à 6 personnes. Préparation : 10 minutes • Cuisson : 65 minutes

INGRÉDIENTS DE BASE

- ☐ Sel et poivre au goût
- ☐ 2 c. à soupe d'huile d'olive
- ☐ 1 oignon moyen haché finement
- ☐ 3 c. à soupe de beurre
- ☐ 3 c. à soupe de farine
- ☐ 2 c. à soupe de mélange italien
- ☐ 3 tasses de lait
- ☐ 1 tasse de riz

3 INGRÉDIENTS VEDETTES

- ☐ 2 poitrines de poulet (200 g chacune) en cubes
- ☐ 1 tasse de crème sure
- ☐ 2 tasses de bouquets de brocoli

- Préchauffer le four à 350 °F (180 °C).
- Dans une grande casserole, faire chauffer l'huile d'olive à feu moyen-élévé. Faire dorer le poulet et l'oignon. Saler, poivrer et réserver dans un bol (poulet et jus de cuisson) à température ambiante.
- Dans la même casserole, faire fondre le beurre. Saupoudrer de farine et fouetter pendant 1 minute ou jusqu'à ce que le mélange soit doré. Ajouter le mélange italien. Augmenter le feu à moyen-élevé. Verser lentement le lait, une tasse à la fois, en fouettant. Ajouter la crème sure. Fouetter jusqu'à ce que la sauce soit crémeuse. Saler et poivrer.
- Dans un grand plat beurré allant au four, mélanger le poulet, l'oignon, le brocoli et le riz. Verser la sauce, couvrir de papier d'aluminium et cuire au four pendant 1 heure.

UN PETIT EXTRA Ajoutez du fromage sur le riz pour plus de saveur.

POULET RÔTI AVEC SAUCE À LA CIBOULETTE

Pour 4 à 6 personnes. Préparation : 10 minutes • Repos au frigo : 60 minutes
Cuisson : 60 minutes

INGRÉDIENTS DE BASE

- ☐ 2 c. à soupe d'huile d'olive
- ☐ 2 c. à soupe de thym
- ☐ 1 c. à soupe d'origan
- ☐ Sel et poivre au goût

3 INGRÉDIENTS VEDETTES

- ☐ 1 poulet entier avec la peau
- ☐ 1 tasse de yogourt nature
- ☐ 1/2 tasse de ciboulette hachée

- Préchauffer le four à 350 °F (180 °C).
- Dans un petit bol, mélanger l'huile d'olive, le thym et l'origan. Saler et poivrer.
- Déposer le poulet dans un plat allant au four. Verser la marinade sur le poulet et l'étaler avec les mains. Saler et poivrer de nouveau. Laisser mariner au réfrigérateur pendant au moins 1 heure (idéalement toute une nuit).
- Cuire au four de 1 heure à 1 heure 30 minutes ou jusqu'à ce que la température interne du poulet atteigne 165 °F (74 °C) (dans la cuisse et dans la poitrine).
- Dans un bol, mélanger le yogourt et la ciboulette. Saler, poivrer et bien mélanger.
- Servir le poulet avec la sauce à la ciboulette et du couscous.

UN PETIT EXTRA Ajoutez du romarin frais au mélange de fines herbes.

Le saviez-vous ?

La ciboulette se congèle. Il faut la hacher très finement, la mettre dans des bacs à glaçons et la couvrir d'eau. Vous pouvez utiliser vos glaçons à la ciboulette lorsque vous préparez des soupes.

VOL-AU-VENT AU POULET

Pour 4 à 6 personnes. Préparation : 10 minutes • Cuisson : 20 minutes

INGRÉDIENTS DE BASE

- ☐ 2 c. à soupe d'huile d'olive
- ☐ 1 oignon moyen haché finement
- ☐ 4 c. à soupe de farine
- ☐ 4 c. à soupe de beurre
- ☐ 1 c. à soupe de mélange italien
- ☐ 1 litre de lait
- ☐ 2 tasses de petits pois et de carottes surgelés
- ☐ Sel et poivre au goût

3 INGRÉDIENTS VEDETTES

- ☐ 2 poitrines de poulet (200 g chacune) en petits cubes
- ☐ 2 feuilles de laurier
- ☐ Vol-au-vent surgelés (emballage de 6 ou 8)

- Dans une grande casserole, faire chauffer l'huile d'olive à feu moyen-élevé. Faire revenir l'oignon et le poulet jusqu'à ce que la viande soit cuite. Réserver dans une assiette à température ambiante.
- Dans la même casserole, faire fondre le beurre à feu moyen. Saupoudrer de farine et fouetter pendant 1 minute ou jusqu'à ce que le mélange soit doré. Ajouter le mélange italien et les feuilles de laurier. Augmenter le feu à moyen-élevé. Verser lentement le lait, une tasse à la fois, en fouettant. Fouetter jusqu'à ce que la sauce soit crémeuse.
- Incorporer les petits pois, les carottes et le poulet cuit. Saler et poivrer.
- Faire cuire les vol-au-vent selon les instructions sur l'emballage.
- Garnir les vol-au-vent d'une généreuse portion de sauce au poulet et aux légumes.

UN PETIT EXTRA Essayez cette recette avec 3 tasses de saumon poché et effiloché.

« Je vis encore chez mes parents et ils me disent qu'à mon âge, je dois commencer à préparer des repas pour la famille. J'aime les recettes de Florence, car elles requièrent des ingrédients simples que nous avons déjà dans notre garde-manger. Quand je prépare un repas, j'en suis fier et mes parents l'apprécient. »

– François, 19 ans, étudiant

Poissons

SAUMON WELLINGTON

Pour 4 personnes. Préparation: 10 minutes • Cuisson : 25 minutes

INGRÉDIENTS DE BASE

- ☐ 2 boîtes de saumon égoutté
- ☐ 1 c. à soupe d'origan
- ☐ 1 c. à thé de poivre
- ☐ Huile d'olive

3 INGRÉDIENTS VEDETTES

- ☐ 6 à 8 asperges
- ☐ 1 boîte (450 g) de pâte feuilletée
- ☐ 1 poivron rouge en julienne

- Préchauffer le four à 425 °F (220 °C).
- Enlever la partie dure des asperges et les plonger 1 minute dans une grande casserole d'eau bouillante, puis 1 minute dans un bol d'eau glacée. Déposer les asperges blanchies sur une serviette pour les assécher.
- Dérouler 2 feuilles de pâte feuilletée sur une plaque à biscuits. Placer 3 ou 4 asperges sur un côté de chaque feuille. Émietter le saumon sur les asperges. Saupoudrer d'origan et de poivre, et arroser d'huile d'olive. Garnir de poivron.
- Fermer chaque feuilleté en repliant le côté libre de la pâte sur le poivron et sceller chaque feuilleté à l'aide d'une fourchette.
- Cuire au four de 20 à 25 minutes ou jusqu'à ce que la pâte feuilletée soit gonflée et dorée.

UN PETIT EXTRA Vous pouvez ajouter de l'oignon rouge en julienne à cette recette.

Le saviez-vous ?
Cette recette contient plus de fibres et moins de gras saturé que la recette originale du bœuf Wellington.

MOUSSE AU SAUMON

Pour 6 à 10 personnes. Préparation : 5 minutes

INGRÉDIENTS DE BASE

- ☐ 1 boîte de saumon égoutté
- ☐ Poivre au goût
- ☐ Pain grillé

3 INGRÉDIENTS VEDETTES

- ☐ 500 g (1 brique) de fromage à la crème
- ☐ 1/4 de tasse d'aneth frais
- ☐ 1 concombre tranché

- Déposer le saumon, le fromage à la crème et l'aneth frais dans un robot culinaire. Mélanger jusqu'à consistance lisse. Poivrer.
- Servir en canapé sur des tranches de concombre ou en sandwich sur du pain grillé.

UN PETIT EXTRA Cette mousse au saumon peut être servie sur des feuilles d'endives ou comme trempette avec des crudités variées.

Le saviez-vous ?

En 3000 avant J.-C., l'infusion d'aneth était un remède populaire pour traiter les coliques chez le nourrisson.

POKE BOL

Pour 4 personnes. Préparation : 10 minutes • Cuisson : 15 minutes

INGRÉDIENTS DE BASE

- ☐ 2 tasses de riz
- ☐ 2 boîtes de saumon égoutté
- ☐ Sauce soya

3 INGRÉDIENTS VEDETTES

- ☐ 2 grandes feuilles de nori (algue)
- ☐ 2 avocats en dés
- ☐ 1 concombre en dés

- Dans une grande casserole, déposer 4 tasses d'eau et le riz. Porter à ébullition et réduire à feu doux. Laisser cuire jusqu'à ce que toute l'eau soit absorbée par le riz. Retirer du feu.
- Avec des ciseaux, couper les feuilles de nori en languettes. Les réserver à température ambiante dans un petit bol.
- Diviser le riz dans 4 bols individuels. Émietter le saumon sur le riz en prenant soin de conserver de gros morceaux de poisson.
- Garnir d'avocat, de concombre et de languettes de nori.
- Verser un filet de sauce soya sur chaque portion avant de servir.

UN PETIT EXTRA Pour plus de textures et de saveurs, garnissez chaque portion de carottes râpées, de graines de sésame et d'un filet d'huile de sésame.

Le saviez-vous ?
Les algues nori contiennent beaucoup de protéines. En effet, 1 tasse d'algues séchées (16 g) fournit 6 g de protéines.

FILET DE SOLE EN PAPILLOTE

Pour 4 personnes. Préparation : 5 minutes • Cuisson : 20 minutes

INGRÉDIENTS DE BASE

- ☐ 4 c. à soupe de beurre
- ☐ Sel et poivre au goût

3 INGRÉDIENTS VEDETTES

- ☐ 2 tomates finement tranchées
- ☐ 4 filets de sole (150 g chacun)
- ☐ 4 c. à soupe de thym frais

- Préchauffer le four à 425 °F (220 °C).
- Couper 4 grandes feuilles de papier parchemin.
- Diviser les tranches de tomate sur les 4 feuilles de papier parchemin. Déposer les filets de sole sur les tomates et saupoudrer de thym.
- Garnir chaque portion de 1 c. à soupe de beurre, puis saler et poivrer.
- Fermer et sceller chaque enveloppe de parchemin en pliant le papier sur 3 côtés.
- Cuire au four pendant 20 minutes.
- Servir avec du couscous.

UN PETIT EXTRA Vous pouvez remplacer la sole par du saumon et le thym par du basilic. Vous pouvez également ajouter des courgettes tranchées aux tomates.

AIGLEFIN HAWAÏEN

Pour 4 personnes. Préparation : 10 minutes • Cuisson : 10 minutes

INGRÉDIENTS DE BASE

- [ ] 1/2 petit oignon haché finement
- [ ] 4 c. à soupe d'huile d'olive
- [ ] 2 c. à soupe d'origan
- [ ] Sel et poivre au goût

3 INGRÉDIENTS VEDETTES

- [ ] 1 boîte (340 ml) de morceaux d'ananas dans leur jus
- [ ] 1 tasse de mangue mûre en cubes
- [ ] 4 filets d'aiglefin (150 g chacun)

- Égoutter les ananas en prenant soin de réserver 2 c. à soupe de jus.
- Dans un bol, mélanger l'oignon, la mangue, les ananas, le jus d'ananas réservé, 2 c. à soupe d'huile d'olive et l'origan. Saler et poivrer. Mélanger et réfrigérer.
- Saler et poivrer les filets d'aiglefin.
- Dans une casserole, faire chauffer 2 c. à soupe d'huile d'olive et faire cuire le poisson de 3 à 4 minutes chaque côté, selon l'épaisseur.
- Servir chaud, avec la salsa de fruits et du riz.

UN PETIT EXTRA Ajoutez de la coriandre fraîche et du poivron rouge hachés et de l'oignon rouge haché à la salsa ! Accompagnez de pois mange-tout.

Le saviez-vous ?

Les mangues sont une excellente source d'acide folique, une vitamine essentielle qui aide à prévenir les malformations congénitales, y compris le spina-bifida (développement incomplet de la colonne vertébrale) et la fente palatine (bec-de-lièvre).

SAUMON SUPER RAPIDE

Pour 4 personnes. Préparation : 5 minutes • Cuisson : 20 minutes

INGRÉDIENTS DE BASE

- ☐ 4 gousses d'ail entières
- ☐ Huile d'olive
- ☐ Sel et poivre au goût
- ☐ 1 ou 2 c. à soupe d'origan

3 INGRÉDIENTS VEDETTES

- ☐ 1 ou 2 bottes d'asperges (500 g)
- ☐ 1 filet (800 g) de saumon entier ou coupé en 4
- ☐ 1 citron

- Préchauffer le four à 425 °F (220 °C).
- Enlever la partie dure des asperges et les déposer dans un plat allant au four. Ajouter les gousses d'ail. Arroser d'huile d'olive, saler et poivrer.
- Déposer le saumon sur les asperges. Arroser avec le jus du citron, saupoudrer d'origan, puis saler et poivrer.
- Couvrir de papier d'aluminium et cuire au four 20 minutes ou jusqu'à ce que le poisson soit floconneux.
- Servir avec du couscous.

UN PETIT EXTRA Pour rehausser la saveur de ce plat, ajoutez-y un ou deux brins de romarin.

Le saviez-vous ?
Les asperges ont des propriétés diurétiques, ce qui pourrait aider à contrôler l'hypertension artérielle.

BÂTONNETS DE POISSON

Pour 4 personnes. Préparation : 10 minutes • Cuisson : 10 minutes

INGRÉDIENTS DE BASE

- ☐ 1/2 tasse de farine
- ☐ 1 c. à soupe d'origan
- ☐ Sel et poivre au goût
- ☐ 3 ou 4 c. à soupe d'huile d'olive

3 INGRÉDIENTS VEDETTES

- ☐ 2 œufs
- ☐ 1 tasse de chapelure Panko
- ☐ 1 filet (800 g) de sole, morue ou aiglefin coupé en 10 ou 12 bâtonnets, selon la taille du filet

- Dans une assiette, répartir uniformément la farine.
- Dans un plat peu profond, comme une assiette à tarte, casser et battre les œufs.
- Dans une autre assiette, mélanger la chapelure et l'origan. Saler, poivrer, mélanger et répartir uniformément dans l'assiette.
- Enrober chaque bâtonnet de poisson de farine. Secouer doucement et tremper dans les œufs. Enrober de chapelure. Jeter la farine, les œufs et la chapelure excédents.
- Dans une grande poêle, faire chauffer l'huile d'olive à feu moyen-élevé. Faire cuire les bâtonnets de poisson 3 minutes de chaque côté ou jusqu'à ce qu'ils soient dorés.

UN PETIT EXTRA Pour une sauce tartare vite faite, mélangez 1/4 de tasse de mayonnaise et 1/4 de tasse de relish.

Le saviez-vous ?

L'aiglefin et la morue offrent l'une des meilleures sources alimentaires d'iode. L'iode est nécessaire pour assurer le bon fonctionnement de la glande thyroïde. Une carence en iode entraîne une production insuffisante d'hormones thyroïdiennes.

CROQUETTES AU THON

Pour 4 personnes. Préparation : 5 minutes • Cuisson : 10 minutes

INGRÉDIENTS DE BASE

- ☐ 2 boîtes de thon égoutté
- ☐ 1 c. à soupe de mélange italien
- ☐ Sel et poivre au goût
- ☐ 4 c. à soupe d'huile d'olive

3 INGRÉDIENTS VEDETTES

- ☐ 1 œuf
- ☐ 1 c. à thé de paprika doux
- ☐ 1 tasse de chapelure

- Dans un grand bol, mélanger le thon, l'œuf, le mélange italien, le paprika et 1/2 tasse de chapelure. Saler et poivrer. Mélanger avec les mains en prenant soin de briser les gros morceaux de thon. Façonner des croquettes de 8 cm de diamètre.
- Déposer 1/2 tasse de chapelure dans un plat peu profond. Enrober les croquettes de chapelure.
- Dans une poêle, faire chauffer l'huile d'olive à feu moyen-élevé. Faire cuire les croquettes jusqu'à ce qu'elles soient dorées sur tous les côtés.

UN PETIT EXTRA Ces croquettes sont un délice dans les burgers. Servez-les avec de la sauce tartare, de la laitue, des tomates et un cornichon.

ROULEAUX D'ÉTÉ AU SAUMON

Pour 4 personnes. Préparation : 10 minutes

INGRÉDIENTS DE BASE

- ☐ 2 boîtes de saumon égoutté et émietté
- ☐ 1/4 de tasse de sauce soya
- ☐ 2 c. à thé de sucre
- ☐ 1 c. à thé de poivre
- ☐ 1 c. à soupe d'eau

3 INGRÉDIENTS VEDETTES

- ☐ 8 à 10 feuilles de riz de 22 cm de diamètre
- ☐ 8 à 10 feuilles de laitue Boston ou romaine
- ☐ 2 carottes en julienne ou râpées

- Verser de l'eau chaude dans une assiette à tarte.
- Placer une serviette de cuisine propre sur le comptoir afin d'y préparer les rouleaux.
- Tremper une feuille de riz dans l'eau chaude pendant 20 secondes ou jusqu'à ce qu'elle ramollisse.
- Déposer la feuille de riz sur la serviette. Déposer une feuille de laitue sur une extrémité et garnir de saumon et de carottes.
- Rouler doucement en repliant les côtés.
- Répéter l'opération avec le reste des ingrédients.
- Dans un petit bol, mélanger la sauce soya, le sucre, le poivre et l'eau. Servir avec les rouleaux.

UN PETIT EXTRA Vous pouvez ajouter du concombre en julienne et des feuilles de coriandre ou de menthe à vos rouleaux, ainsi que de la sauce piquante ou de l'huile de sésame à votre sauce d'accompagnement.

CHAUDRÉE AU SAUMON

Pour 2 personnes. Préparation : 10 minutes • Cuisson : 30 minutes

INGRÉDIENTS DE BASE

- ☐ 3 c. à soupe de beurre
- ☐ 3 c. à soupe de farine
- ☐ 1 c. à thé d'origan
- ☐ 1 c. à thé de thym
- ☐ 2 tasses de lait
- ☐ 1 petit oignon haché finement
- ☐ 2 boîtes de saumon émietté et non égoutté
- ☐ 2 tasses de petits pois et de carottes surgelés
- ☐ Sel et poivre au goût

3 INGRÉDIENTS VEDETTES

- ☐ 2 tasses de bouillon de légumes
- ☐ 1 grosse pomme de terre en dés
- ☐ 2 feuilles de laurier

▶ Dans une grande casserole, faire fondre le beurre à feu moyen. Saupoudrer de farine et fouetter pendant 1 minute ou jusqu'à ce que le mélange soit doré. Ajouter l'origan et le thym. Augmenter le feu à moyen-élevé et verser lentement le lait et le bouillon de légumes, une tasse à la fois, en fouettant. Fouetter jusqu'à ce que la sauce soit légèrement crémeuse.

▶ Ajouter la pomme de terre en dés, les feuilles de laurier et l'oignon, et réduire à feu doux. Laisser mijoter de 15 à 20 minutes ou jusqu'à ce que la pomme de terre soit tendre.

▶ Ajouter le saumon, les pois et les carottes. Saler et poivrer, puis laisser mijoter 5 minutes. Retirer les feuilles de laurier.

UN PETIT EXTRA Ajoutez du maïs en grains surgelé et de l'aneth frais à cette chaudrée.

SAUMON LAQUÉ

Pour 2 personnes. Préparation : 10 minutes • Cuisson : 10 minutes

INGRÉDIENTS DE BASE

- ☐ 1/3 de tasse de sirop d'érable ou de miel
- ☐ 2 c. à soupe de sauce soya
- ☐ 1 gousse d'ail hachée
- ☐ Poivre au goût

3 INGRÉDIENTS VEDETTES

- ☐ 1 c. à soupe de gingembre frais râpé
- ☐ 1 filet (500 g) de saumon
- ☐ 2 c. à soupe de graines de sésame

- Préchauffer le four à 425 °F (220 °C).
- Verser 1/2 tasse d'eau dans une petite casserole. Ajouter le sirop d'érable ou le miel, la sauce soya, le gingembre et l'ail. Porter à ébullition et laisser réduire de moitié.
- Déposer le saumon sur une plaque de cuisson couverte de papier parchemin. Badigeonner de marinade, puis poivrer.
- Cuire au four environ 10 minutes ou jusqu'à ce que le poisson se défasse à la fourchette, en badigeonnant deux fois durant la cuisson.
- Parsemer de graines de sésame.
- Servir avec du riz et des légumes.

UN PETIT EXTRA Au moment de servir, versez un filet d'huile de sésame sur le poisson.

Le saviez-vous ?
Le Japon est le deuxième importateur de sirop d'érable canadien, après les États-Unis.

« Je l'avoue, c'est ma femme qui cuisine. Mais quand elle est en voyage d'affaires, je ne veux pas commander une pizza pour les enfants. Je veux qu'ils mangent bien. Et je veux bien manger aussi. Les recettes de Florence sont faciles et infaillibles. Tout le monde peut les faire et le résultat est toujours bon. »

– Olivier, 44 ans, père de 2 garçons

Plats végétariens

SAUTÉ ASIATIQUE

Pour 4 à 6 personnes. Préparation : 10 minutes • Cuisson : 10 minutes

INGRÉDIENTS DE BASE

- ☐ 2 c. à soupe d'huile d'olive
- ☐ 1 petit oignon haché
- ☐ 2 gousses d'ail hachées
- ☐ 1 tasse de légumes asiatiques surgelés
- ☐ 2 c. à soupe de sauce soya

3 INGRÉDIENTS VEDETTES

- ☐ 1 c. à soupe de gingembre frais haché
- ☐ 500 g de tofu ferme en cubes
- ☐ 1 c. à soupe d'huile de sésame

- Dans un wok ou une poêle profonde, faire chauffer l'huile d'olive à feu moyen-élevé. Faire sauter l'oignon, l'ail, le gingembre et le tofu jusqu'à ce que le tofu soit doré.
- Ajouter les légumes surgelés et faire sauter pendant 1 minute.
- Verser la sauce soya et l'huile de sésame. Bien mélanger.
- Servir avec du riz.

UN PETIT EXTRA Ajoutez une tige de citronnelle à cette recette.

FRITTATA AUX CHAMPIGNONS

Pour 4 à 6 personnes. Préparation : 10 minutes • Cuisson : 40 minutes

INGRÉDIENTS DE BASE

- ☐ 1 c. à soupe de beurre
- ☐ 1 c. à soupe d'huile d'olive
- ☐ 1 petit oignon haché
- ☐ 1/2 c. à soupe de thym
- ☐ Sel et poivre au goût

3 INGRÉDIENTS VEDETTES

- ☐ 1 tasse de champignons tranchés
- ☐ 8 œufs
- ☐ 1/3 de tasse de yogourt nature

- Beurrer un plat de 9 po × 9 po (23 cm × 23 cm) allant au four.
- Préchauffer le four à 350 °F (180 °C).
- Dans une petite casserole, faire chauffer l'huile d'olive à feu moyen-élevé. Faire revenir l'oignon, les champignons et le thym. Saler et poivrer, et retirer du feu lorsque les champignons ont diminué de la moitié du volume initial.
- Dans un grand bol, fouetter les œufs et le yogourt jusqu'à homogénéité.
- Incorporer les champignons.
- Verser la préparation dans le plat beurré.
- Cuire au four de 30 à 35 minutes ou jusqu'à ce que la frittata soit ferme.
- Servir avec des rôties beurrées.

UN PETIT EXTRA Pour plus de couleurs, ajouter 1 oignon vert et de la ciboulette hachés à la préparation.

Le saviez-vous ?

Le champignon est riche en vitamines B2, B3 et B5. Ces trois vitamines aident à maintenir le bon fonctionnement du métabolisme et à conserver un système immunitaire en santé.

FALAFELS ET SAUCE À LA CORIANDRE

Pour 4 personnes. Préparation : 5 minutes • Cuisson : 10 minutes

INGRÉDIENTS DE BASE

- ☐ 1 boîte de pois chiches égouttés
- ☐ 1/2 c. à soupe de poudre de cari
- ☐ 1 pincée de sel
- ☐ 1 pincée de poivre
- ☐ Huile d'olive

3 INGRÉDIENTS VEDETTES

- ☐ 1 œuf
- ☐ 1/2 tasse de coriandre fraîche hachée
- ☐ 3/4 de tasse de yogourt nature

- Au robot, réduire grossièrement les pois chiches. Il y aura encore quelques morceaux entiers de pois chiches dans le mélange. Verser la préparation dans un bol et ajouter la poudre de cari, l'œuf, la moitié de la coriandre, le sel et le poivre. Bien mélanger.
- Avec la préparation, façonner douze falafels et les déposer sur une plaque ou une assiette.
- Verser 1 cm de profondeur d'huile d'olive dans une poêle peu profonde. Faire chauffer à feu moyen.
- Faire frire les falafels 4 minutes de chaque côté ou jusqu'à ce qu'ils soient dorés.
- Dans un bol, mélanger le yogourt et le reste de la coriandre. Saler, poivrer et mélanger.
- Servir les falafels avec la sauce à la coriandre.

UN PETIT EXTRA Ajoutez 1/8 de tasse de carottes râpées et 1 c. à soupe de graines de sésame à la préparation de falafels. Ajoutez du persil haché dans la sauce à la coriandre.

RIZ FRIT

Pour 2 personnes. Préparation : 5 minutes • Cuisson : 10 minutes

INGRÉDIENTS DE BASE

- ☐ 2 c. à soupe d'huile d'olive
- ☐ 1 petit oignon haché
- ☐ 2 gousses d'ail hachées
- ☐ 2 tasses de riz cuit, froid
- ☐ 2 c. à soupe de sauce soya
- ☐ 3/4 de tasse de petits pois et de carottes surgelés

3 INGRÉDIENTS VEDETTES

- ☐ 4 œufs battus
- ☐ 2 c. à thé de gingembre frais râpé
- ☐ Huile de sésame

- Dans une grande poêle, faire chauffer 1 c. à soupe d'huile d'olive à feu moyen-élevé. Verser les œufs et les cuire pour faire une grande omelette. Coupez-la en petits morceaux. Réserver dans une assiette.
- Verser 1 c. à soupe d'huile d'olive dans la même poêle et, à feu moyen, faire revenir l'oignon, l'ail, le gingembre et le riz froid. Briser les morceaux de riz collés avec le dos d'une cuillère en bois.
- Ajouter la sauce soya, les pois et les carottes surgelés. Bien mélanger. Incorporer les œufs, puis verser un filet d'huile de sésame sur la préparation.
- Servir chaud.

Le saviez-vous ?

Le gingembre apaise la toux sèche en aidant les glandes salivaires à produire plus de salive.

PIZZA MARGARITA SUR PITA

Pour 2 à 4 personnes. Préparation : 5 minutes • Cuisson : 15 minutes

INGRÉDIENTS DE BASE

- ☐ 2 grands pains pitas
- ☐ 4 c. à thé d'origan
- ☐ 2 c. à thé de poivre
- ☐ Huile d'olive

3 INGRÉDIENTS VEDETTES

- ☐ 1 boîte (340 ml) de sauce tomate
- ☐ Basilic frais
- ☐ 2 tasses de mozzarella râpée

- Préchauffer le four à 375 °F (190 °C).
- Déposer les pitas sur une plaque à pizza.
- Étaler la sauce tomate sur chaque pita. Garnir de feuilles de basilic et de mozzarella. Saupoudrer d'origan et de poivre. Verser un filet d'huile d'olive sur chaque pizza.
- Cuire au four 15 minutes ou jusqu'à ce que le fromage soit fondu.

UN PETIT EXTRA Les pizzas sur pita sont très polyvalentes. Garnissez-les de jambon, poivrons, champignons, ananas, piments... Il n'y a pas de limites !

Le saviez-vous ?
La culture du basilic a commencé en Inde, il y a plus de 5000 ans, mais son usage est plus connu dans la cuisine italienne.

GALLO PINTO CON HUEVOS

(RIZ ET HARICOTS COSTARICAINS AVEC DES ŒUFS)

Pour 2 personnes. Préparation : 5 minutes • Cuisson : 10 minutes

INGRÉDIENTS DE BASE

- ☐ 2 c. à soupe d'huile d'olive
- ☐ 1 oignon moyen blanc ou jaune haché
- ☐ 2 c. à soupe d'origan
- ☐ 1/2 boîte de haricots rouges rincés et égouttés
- ☐ Sel et poivre au goût
- ☐ 2 tasses de riz cuit, froid

3 INGRÉDIENTS VEDETTES

- ☐ 1 poivron rouge haché
- ☐ 1/2 tasse de coriandre fraîche hachée
- ☐ 2 œufs

- Dans une grande casserole, faire chauffer l'huile d'olive à feu moyen. Faire revenir l'oignon, le poivron rouge et l'origan. Cuire jusqu'à ce que les légumes soient tendres.
- Ajouter les haricots, puis saler et poivrer. Cuire de 3 à 5 minutes ou jusqu'à ce que les haricots soient légèrement tendres.
- Ajouter le riz cuit et bien mélanger. Lorsque le riz est chaud, éteindre le feu. Incorporer la coriandre.
- Dans une petite poêle, faire cuire les œufs au miroir dans une petite quantité d'huile.
- Servir les œufs avec le riz.

UN PETIT EXTRA Pour une touche plus piquante, ajoutez un peu de flocons de chili lors de la cuisson des oignons et de l'origan.

CARI CRÉMEUX AU TOFU ET AU LAIT DE COCO

Pour 4 à 6 personnes. Préparation : 10 minutes • Cuisson : 15 minutes

INGRÉDIENTS DE BASE

- ☐ 2 c. à soupe d'huile d'olive
- ☐ 2 c. à soupe de poudre de cari
- ☐ 1 petit oignon haché
- ☐ 2 gousses d'ail hachées
- ☐ 1 1/2 tasse de légumes asiatiques surgelés
- ☐ Sel et poivre au goût

3 INGRÉDIENTS VEDETTES

- ☐ 500 g de tofu ferme en cubes
- ☐ 1 boîte (540 ml) de lait de coco
- ☐ 1/2 tasse de coriandre fraîche hachée

- Dans une grande casserole, faire chauffer l'huile d'olive à feu moyen-élevé.
- Faire griller la poudre de cari pendant 10 secondes dans l'huile.
- Faire revenir l'oignon et l'ail.
- Ajouter le tofu et cuire jusqu'à ce qu'il soit légèrement doré.
- Incorporer le lait de coco et les légumes asiatiques surgelés. Couvrir et réduire à feu moyen-doux. Laisser mijoter pendant 10 minutes.
- Retirer le couvercle et ajouter la coriandre fraîche. Bien mélanger.
- Servir sur du riz.

Le saviez-vous ?

Le tofu est une protéine complète, c'est-à-dire qu'il fournit les huit acides aminés essentiels à l'organisme, en plus des deux semi-essentiels.

OMELETTE ROUGE

Pour 2 personnes. Préparation : 5 minutes • Cuisson : 5 minutes

INGRÉDIENTS DE BASE

- [ ] Sel et poivre au goût
- [ ] 1 oignon haché
- [ ] 2 c. à soupe d'huile d'olive

3 INGRÉDIENTS VEDETTES

- [ ] 6 œufs
- [ ] 1 poivron rouge haché
- [ ] 1 tomate hachée

- Dans un grand bol, battre les œufs. Saler et poivrer.
- Ajouter l'oignon, le poivron et la tomate. Bien mélanger.
- Dans une grande poêle, faire chauffer l'huile d'olive à feu moyen-élevé. Verser la préparation aux œufs et réduire à feu moyen.
- Cuire l'omelette pendant 3 minutes. Couvrir et poursuivre la cuisson pendant 2 minutes ou jusqu'à ce que l'omelette soit ferme, mais pas trop cuite.
- Servir avec des rôties beurrées.

UN PETIT EXTRA Cette omelette est idéale pour un brunch du dimanche. Servez-la avec du jambon poêlé et une salade de fruits.

Le saviez-vous ?
Grâce aux pigments anthocyanes qu'ils renferment, les poivrons et les tomates contiennent des antioxydants puissants.

BIRYANI AUX NOIX DE CAJOU

Pour 6 personnes. Préparation : 5 minutes • Cuisson : 25 minutes

INGRÉDIENTS DE BASE

- ☐ 3 c. à soupe d'huile d'olive
- ☐ 2 petits oignons hachés
- ☐ 3 gousses d'ail hachées
- ☐ 1 tasse de riz basmati
- ☐ 1 c. à soupe de poudre de cari
- ☐ 1 c. à thé de cannelle
- ☐ 1 tasse de petits pois et de carottes surgelés
- ☐ Sel et poivre au goût

3 INGRÉDIENTS VEDETTES

- ☐ 1 c. à thé de graines de fenouil
- ☐ 1/2 tasse de raisins secs
- ☐ 1/2 tasse de noix de cajou hachées grossièrement

- Dans une casserole, faire chauffer l'huile d'olive à feu moyen-élevé. Faire revenir les oignons et l'ail jusqu'à ce qu'ils soient dorés.
- Ajouter le riz, la poudre de cari, les graines de fenouil et la cannelle. Bien mélanger. Ajouter les raisins secs et 2 tasses d'eau.
- Porter à ébullition, puis réduire le feu au minimum. Couvrir et cuire pendant 10 minutes.
- Ajouter les petits pois et les carottes surgelés. Ne pas remuer et couvrir.
- Cuire de 7 à 10 minutes ou jusqu'à ce que l'eau soit complètement absorbée.
- Retirer du feu. Saler et poivrer. Ajouter les noix de cajou, et mélanger avant de servir.

UN PETIT EXTRA Ajoutez des haricots verts en morceaux, et servir le biryani avec une sauce au yogourt.

SOUPE-REPAS AUX LENTILLES

Pour 4 à 6 personnes. Préparation : 10 minutes • Cuisson : 45 minutes

INGRÉDIENTS DE BASE

- ☐ 2 c. à soupe d'huile d'olive
- ☐ 1 oignon moyen haché finement
- ☐ 4 grosses gousses d'ail hachées finement
- ☐ 1 c. à soupe de poudre de cari
- ☐ 1/2 c. à soupe de cannelle
- ☐ 1/2 c. à soupe de thym
- ☐ 1 boîte de lentilles égouttées
- ☐ 1 tasse de petits pois et de carottes surgelés
- ☐ Sel et poivre au goût

3 INGRÉDIENTS VEDETTES

- ☐ 2 branches de céleri hachées
- ☐ 2 feuilles de laurier
- ☐ 1 litre de bouillon de légumes

- Dans une grande casserole, faire chauffer l'huile d'olive à feu moyen-élevé. Faire revenir l'oignon, le céleri et l'ail jusqu'à ce que les légumes soient tendres.
- Ajouter le cari, les feuilles de laurier, la cannelle et le thym, et faire griller de 10 à 15 secondes.
- Incorporer le reste des ingrédients, porter à ébullition, baisser le feu et laisser mijoter de 30 à 40 minutes.
- Servir avec du pain grillé et beurré.

UN PETIT EXTRA Garnir de fines herbes fraîches, hachées.

BRUNCH N'IMPORTE QUAND

Pour 2 personnes. Préparation : 15 minutes • Cuisson : 5 minutes

INGRÉDIENTS DE BASE

- ☐ Sel et poivre au goût
- ☐ 4 tranches de pain grillées
- ☐ Beurre (facultatif)
- ☐ Huile d'olive

3 INGRÉDIENTS VEDETTES

- ☐ 2 avocats mûrs
- ☐ 4 œufs
- ☐ 2 tomates tranchées ou 1 à 2 tasses de tomates cerises coupées en 2

- Dans un petit bol, écraser grossièrement les avocats avec une fourchette. Saler et poivrer.
- Beurrer chaque tranche de pain, si désiré.
- Tartiner le pain de purée d'avocat.
- Dans une poêle, faire cuire les œufs au miroir dans une petite quantité d'huile d'olive.
- Déposer un œuf sur chaque tranche de pain. Saler et poivrer.
- Servir avec des tomates cerises.

UN PETIT EXTRA Pour plus de texture et de saveur, ajoutez du piment jalapeno haché et de la coriandre hachée à la purée d'avocat.

Le saviez-vous ?
Les avocats contiennent de la lutéine et de la zéaxanthine, deux caroténoïdes importants pour la santé des yeux.

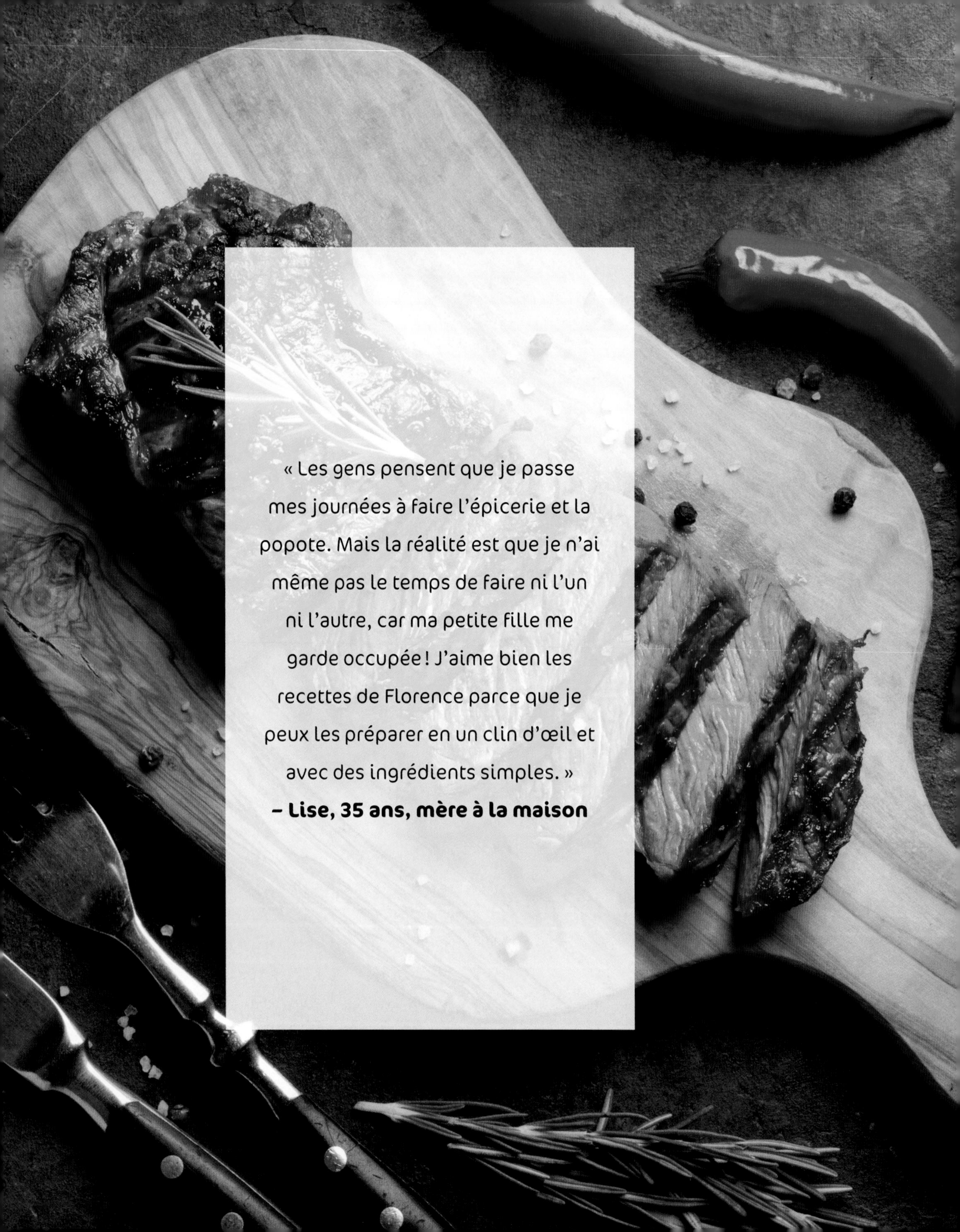

« Les gens pensent que je passe mes journées à faire l'épicerie et la popote. Mais la réalité est que je n'ai même pas le temps de faire ni l'un ni l'autre, car ma petite fille me garde occupée ! J'aime bien les recettes de Florence parce que je peux les préparer en un clin d'œil et avec des ingrédients simples. »

– Lise, 35 ans, mère à la maison

Viandes (saucisses, veau, bœuf, porc)

COUSCOUS AUX SAUCISSES, AMANDES ET ABRICOTS SÉCHÉS

Pour 4 personnes. Préparation : 5 minutes • Cuisson : 15 minutes

INGRÉDIENTS DE BASE

- ☐ 2 c. à thé de cannelle
- ☐ 3 c. à soupe d'huile d'olive
- ☐ 2 tasses de couscous

3 INGRÉDIENTS VEDETTES

- ☐ 1 tasse d'abricots séchés hachés
- ☐ 4 à 8 merguez ou saucisses italiennes douces
- ☐ 1/2 tasse d'amandes tranchées

- Dans une grande casserole, porter à ébullition 2 1/4 tasses d'eau.
- Ajouter la cannelle, 2 c. à soupe d'huile d'olive, les abricots séchés et le couscous. Bien mélanger, couvrir et retirer du feu.
- Piquer les saucisses avec une fourchette pour que la vapeur s'échappe durant la cuisson.
- Dans une poêle peu profonde, verser 1 c. à soupe d'huile d'olive. Faire revenir les saucisses à feu moyen-élevé jusqu'à ce que l'extérieur soit croustillant et l'intérieur cuit.
- Incorporer les amandes au couscous.
- Servir les saucisses avec le couscous tiède.

UN PETIT EXTRA Vous pouvez ajouter des raisins secs et des noix de pin au couscous pour plus de texture.

Le saviez-vous ?

Les abricots séchés sont riches en potassium, ce qui aide à stabiliser la tension artérielle.

CHILI CON CARNE

Pour 4 personnes. Préparation : 10 minutes • Cuisson : 25 minutes

INGRÉDIENTS DE BASE

- ☐ 2 c. à soupe d'huile d'olive
- ☐ 1 c. à soupe d'origan
- ☐ 1 oignon moyen haché
- ☐ 3 gousses d'ail hachées
- ☐ 1 boîte de haricots rouges ou noirs rincés et égouttés
- ☐ 1 tasse de petits pois et de carottes surgelés
- ☐ Sel et poivre au goût

3 INGRÉDIENTS VEDETTES

- ☐ 1 c. à soupe de cumin
- ☐ 500 g de bœuf ou de porc haché
- ☐ 1 boîte (900 ml) de tomates concassées

- Dans une grande casserole, faire chauffer l'huile d'olive à feu moyen. Faire revenir le cumin et l'origan pendant 10 secondes.
- Ajouter l'oignon et l'ail. Faire revenir de 1 à 2 minutes.
- Ajouter la viande hachée et briser les gros morceaux avec une cuillère en bois.
- Lorsque la viande est presque cuite, ajouter les haricots et les tomates concassées. Remuer, couvrir et laisser mijoter 10 minutes.
- Incorporer les petits pois et les carottes surgelés. Couvrir et laisser mijoter 10 minutes.
- Ajuster l'assaisonnement et servir avec du riz ou du pain pita.

UN PETIT EXTRA Vous pouvez ajouter un piment fort pendant que la préparation mijote.

POIVRONS FARCIS

Pour 4 à 6 personnes. Préparation : 10 minutes • Cuisson : 30 minutes

INGRÉDIENTS DE BASE

- ☐ 2 c. à soupe d'huile d'olive
- ☐ 1 gros oignon haché finement
- ☐ 2 gousses d'ail hachées
- ☐ 2 c. à soupe de mélange italien
- ☐ Sel et poivre au goût
- ☐ 2 tasses de riz cuit

3 INGRÉDIENTS VEDETTES

- ☐ 4 à 6 poivrons, selon la grosseur
- ☐ 500 g de viande hachée (mélange de bœuf, porc et veau)
- ☐ 2 tomates hachées

- Préchauffer le four à 375 °F (190 °C).
- Couper les poivrons en deux et les épépiner. Placer les poivrons dans un plat allant au four.
- Dans une grande casserole, faire chauffer l'huile d'olive à feu moyen-élevé. Faire revenir l'oignon, l'ail, la viande hachée et le mélange italien jusqu'à ce que la viande soit cuite. Ajouter les tomates. Saler et poivrer.
- Ajouter le riz cuit et bien mélanger.
- Farcir les poivrons avec la préparation. Couvrir de papier d'aluminium et cuire au four 20 minutes ou jusqu'à ce que les poivrons soient tendres.

UN PETIT EXTRA Garnissez de fromage râpé (mozzarella, parmesan, provolone, etc.) et cuire à broil 2 minutes ou jusqu'à ce que le fromage soit fondu. Garnissez de basilic.

CRÊPES FRANÇAISES

Pour 4 ou 5 personnes. Préparation : 5 minutes • Cuisson : 15 minutes

INGRÉDIENTS DE BASE

- ☐ 1 tasse de farine
- ☐ 2 tasses de lait
- ☐ 1 c. à thé de sel
- ☐ 1 c. à thé de sucre blanc
- ☐ Huile d'olive

3 INGRÉDIENTS VEDETTES

- ☐ 3 œufs
- ☐ 16 à 20 tranches de fromage emmenthal ou suisse (2 tranches par crêpe)
- ☐ 8 à 10 tranches de jambon (1 tranche mince par crêpe)

- Dans un grand bol, mélanger la farine, le lait, les œufs, le sel et le sucre. Fouetter jusqu'à consistance lisse.
- Badigeonner une grande poêle d'huile d'olive. Faire chauffer à feu moyen.
- Avec une louche, verser le mélange à crêpe dans la poêle et tourner la poêle afin que le mélange se répande uniformément. Faire cuire de 2 à 3 minutes. Retourner la crêpe et cuire de nouveau 2 minutes ou jusqu'à ce que la crêpe soit dorée.
- Déposer 2 tranches de fromage et 1 tranche de jambon sur la moitié de la crêpe et plier en 2. Réserver au chaud dans un plat de service.
- Répéter jusqu'à épuisement du mélange à crêpe. Donne 8 à 10 grandes crêpes.

UN PETIT EXTRA Les crêpes sont très polyvalentes. Vous pouvez les farcir avec ce que vous voulez et leur donner un petit goût sucré ou salé. Pour plus de décadence, garnir de crème, si désiré.

Le saviez-vous ?

Le beurre commence à fumer à une température de 130 °C tandis que l'huile d'olive est stable jusqu'à 200 °C. Certaines recettes traditionnelles de crêpe demandent du beurre pour la cuisson, mais pour un meilleur résultat, il vaut mieux les faire cuire dans un peu d'huile l'olive.

RAGOÛT AU BŒUF RÉCONFORTANT

Pour 4 à 6 personnes. Préparation : 10 minutes • Cuisson : 65 minutes

INGRÉDIENTS DE BASE

- ☐ 1/2 tasse de farine
- ☐ 2 c. à soupe de beurre
- ☐ 1 c. à soupe d'huile d'olive
- ☐ 2 gros oignons hachés finement
- ☐ 3 gousses d'ail hachées
- ☐ 1 c. à soupe de thym
- ☐ 1 c. à soupe d'origan
- ☐ Sel et poivre au goût
- ☐ 1 tasse de petits pois et de carottes surgelés

3 INGRÉDIENTS VEDETTES

- ☐ 500 g de cubes de bœuf
- ☐ 2 feuilles de laurier
- ☐ 2 tasses de bouillon de bœuf

▶ Dans une assiette, enrober de farine les cubes de bœuf. Jeter l'excédent de farine.

▶ Dans une grande casserole, faire chauffer le beurre et l'huile d'olive à feu moyen. Faire revenir le bœuf, les oignons et l'ail jusqu'à ce que le bœuf soit doré et légèrement croustillant.

▶ Ajouter le thym, l'origan, les feuilles de laurier et le bouillon. Saler et poivrer. Porter à ébullition et réduire à feu doux.

▶ Laisser mijoter 45 minutes, puis ajouter les légumes surgelés. Couvrir et laisser mijoter de nouveau de 10 à 15 minutes ou jusqu'à ce que le bœuf se défasse à la fourchette.

UN PETIT EXTRA Ajoutez tous les légumes qui traînent dans votre frigo. Le goût n'en sera que meilleur !

LENTILLES ET BOULETTES À LA MAROCAINE

Pour 4 à 6 personnes. Préparation : 10 minutes • Cuisson : 20 minutes

INGRÉDIENTS DE BASE

- ☐ 1 c. à soupe d'origan
- ☐ 2 gousses d'ail hachées
- ☐ 2 oignons moyens hachés finement
- ☐ Sel et poivre au goût
- ☐ 2 c. à soupe d'huile d'olive
- ☐ 1 c. à thé de cannelle
- ☐ 1 boîte de lentilles rincées et égouttées

3 INGRÉDIENTS VEDETTES

- ☐ 500 g de bœuf haché
- ☐ 1 branche de céleri hachée finement
- ☐ 1 c. à soupe de cumin

- Dans un bol, mélanger le bœuf haché, l'origan, 1 gousse d'ail hachée, le céleri et la moitié des oignons hachés. Saler, poivrer et bien mélanger. Façonner des boulettes d'environ 5 cm de diamètre.
- Dans une grande casserole, faire chauffer l'huile d'olive à feu moyen-élevé. Cuire les boulettes et les réserver dans une assiette.
- Dans la même casserole, verser un peu d'huile si nécessaire. Faire revenir le reste des oignons, 1 gousse d'ail hachée, la cannelle et le cumin pendant 1 minute. Saler et poivrer.
- Ajouter les lentilles et les boulettes de viande. Laisser mijoter pendant 10 minutes afin que les saveurs se développent.
- Servir avec du couscous.

UN PETIT EXTRA Ajoutez des tomates fraîches en dés et du persil frais lors des 5 dernières minutes de cuisson.

CÔTES LEVÉES QUI COLLENT AUX DOIGTS

Pour 4 personnes. Préparation : 10 minutes • Cuisson : 2 heures

INGRÉDIENTS DE BASE

- ☐ Sel au goût
- ☐ 1/2 tasse de miel
- ☐ 2 c. à soupe d'origan
- ☐ 2 c. à soupe de poivre

3 INGRÉDIENTS VEDETTES

- ☐ 800 g à 1 kg de côtes levées de porc
- ☐ 4 c. à soupe de vinaigre de cidre
- ☐ 1 tasse de ketchup

- Préchauffer le four à 350 °F (180 °C).
- Placer les côtes levées sur une plaque à biscuits recouverte de papier parchemin. Saler, couvrir de papier d'aluminium et cuire au four pendant 1 heure.
- Pendant ce temps, préparer la marinade en mélangeant le reste des ingrédients.
- Après 1 heure de cuisson, badigeonner les côtes levées de marinade. Cuire à découvert pendant 20 minutes.
- Répéter l'opération 2 fois, pour un total de 1 heure de cuisson à découvert.

UN PETIT EXTRA Ajoutez 2 gousses d'ail hachées à la marinade pour un goût plus relevé.

Le saviez-vous ?

Le vinaigre de cidre provient d'une double fermentation. La première fermentation se fait lorsque le jus de pomme passe à l'état d'alcool. Pour ce faire, des levures transforment les sucres du jus en alcool. Une fois la fermentation alcoolique terminée vient la fermentation acétique. À ce moment, des bactéries transforment l'alcool en acide acétique.

BOULETTES DE PORC À LA POMME ET À LA CANNELLE

Pour 4 personnes. Préparation : 10 minutes • Cuisson : 30 minutes

INGRÉDIENTS DE BASE

- ☐ 2 c. à thé de thym
- ☐ 1 c. à thé de cannelle
- ☐ 1 petit oignon blanc râpé
- ☐ Sel et poivre au goût

3 INGRÉDIENTS VEDETTES

- ☐ 500 g de porc haché
- ☐ 1 pomme Granny Smith râpée
- ☐ 1 c. à thé de sauge moulue

- Préchauffer le four à 375 °F (190 °C).
- Dans un grand bol, mélanger tous les ingrédients. Saler, poivrer et façonner de 12 à 15 boulettes.
- Placer les boulettes sur une plaque à biscuits couverte de papier parchemin.
- Cuire au four de 25 à 30 minutes.

UN PETIT EXTRA Servez les boulettes avec une purée de pommes de terre et de carottes, ou en bouchées accompagnées d'une sauce aigre-douce.

Le saviez-vous ?

L'Indonésie est le producteur numéro un de cannelle. Elle est suivie par la Chine et le Vietnam.

SCHNITZEL AU VEAU

Pour 4 personnes. Préparation : 15 minutes • Cuisson : 10 minutes

INGRÉDIENTS DE BASE

- ☐ 1/2 tasse de farine
- ☐ 1 c. à soupe d'origan
- ☐ Sel et poivre au goût
- ☐ 2 c. à soupe d'huile d'olive

3 INGRÉDIENTS VEDETTES

- ☐ 2 œufs
- ☐ 1 tasse de chapelure
- ☐ 6 escalopes de veau

- Dans une assiette, répartir uniformément la farine.
- Dans un plat peu profond, comme une assiette à tarte, casser et battre les œufs.
- Dans une autre assiette, mélanger la chapelure et l'origan. Saler, poivrer, mélanger et répartir uniformément dans l'assiette.
- Enrober les escalopes de veau de farine. Les secouer et les tremper dans les œufs. Les enrober ensuite de chapelure. Jeter la farine, les œufs et la chapelure excédents.
- Dans une grande poêle, faire chauffer l'huile d'olive à feu moyen-élevé. Faire cuire les escalopes de 3 à 4 minutes de chaque côté ou jusqu'à ce qu'elles soient dorées.
- Servir avec des pâtes au beurre ou avec une purée de pommes de terre au beurre, et des légumes.

Le saviez-vous ?

Originaire d'Autriche, le schnitzel est si populaire que plus de 30 pays ont leur propre version, incluant le Japon, l'Inde, le Soudan et la Turquie.

PÂTÉ À LA VIANDE

Pour 4 personnes. Préparation : 30 minutes
Repos au frigo: 60 minutes • Cuisson : 40 minutes

INGRÉDIENTS DE BASE

- ☐ 2 c. à soupe d'huile d'olive
- ☐ 1 gros oignon haché finement
- ☐ 3 gousses d'ail hachées finement
- ☐ 1 c. à soupe de thym
- ☐ 1 c. à soupe d'origan
- ☐ 3/4 de tasse de petits pois et de carottes surgelés
- ☐ Sel et poivre au goût

3 INGRÉDIENTS VEDETTES

- ☐ 1 boule de pâte à tarte
- ☐ 500 g de bœuf haché (ou un mélange de bœuf, porc et veau)
- ☐ 1 feuille de laurier

- Préchauffer le four à 350 °F (180 °C).
- Dans une grande casserole, faire chauffer l'huile d'olive à feu moyen-élevé. Faire revenir l'oignon, l'ail, la viande hachée, le thym, l'origan et la feuille de laurier jusqu'à ce que la viande soit cuite.
- Ajouter les petits pois et les carottes surgelées. Mélanger. Saler, poivrer
- Séparer la pâte en 2 et former 2 disques à l'aide d'un rouleau à pâtisserie. Déposer un disque dans une assiette à tarte de 9 po de diamètre. Verser la garniture à la viande et couvrir du deuxième disque. Sceller les 2 disques avec les doigts ou une fourchette.
- Badigeonner avec du beurre fondu, si désiré. À l'aide d'un couteau, faire des entailles sur le disque supérieur pour laisser la vapeur s'échapper. Cuire au four de 25 à 30 minutes ou jusqu'à ce que la croûte soit dorée.

Le saviez-vous ?
Un pâté à la viande irlandais traditionnel contient de la bière foncée.

CÔTELETTES DE PORC AUX PÊCHES

Pour 4 personnes. Préparation : 10 minutes • Cuisson : 10 minutes

INGRÉDIENTS DE BASE

- ☐ Sel et poivre au goût
- ☐ 1 c. à soupe d'huile d'olive
- ☐ 1 c. à soupe de beurre
- ☐ 1/2 oignon tranché finement
- ☐ 2 c. à thé de thym
- ☐ 2 c. à thé de miel

3 INGRÉDIENTS VEDETTES

- ☐ 4 côtelettes de porc
- ☐ 2 pêches coupées en 8 quartiers
- ☐ 2 c. à soupe de basilic frais, haché

- Saler et poivrer les côtelettes de porc des 2 côtés.
- Dans une grande poêle, faire chauffer l'huile d'olive à feu moyen-élevé. Faire revenir les côtelettes 3 minutes de chaque côté. Réserver les côtelettes au chaud.
- Dans la même poêle, à feu moyen, faire fondre le beurre. Faire revenir l'oignon, le thym, le miel et les pêches. Cuire de 2 à 4 minutes ou jusqu'à ce que les pêches soient tendres. Parsemer de basilic.
- Servir en accompagnement des côtelettes, avec une purée de pommes de terre ou avec du couscous.

UN PETIT EXTRA Pour un goût plus relevé, ajoutez 1 ou 2 clous de girofle lors de la cuisson des pêches. Retirez-les avant de servir.

Le saviez-vous ?

Bien que très sucrée au goût, la pêche mûre a un faible indice glycémique. Ses sucres sont donc absorbés lentement par le corps.

CASSOULET

Pour 6 à 8 personnes. Préparation : 15 minutes • Cuisson : 60 minutes

INGRÉDIENTS DE BASE

- ☐ 2 c. à soupe d'huile d'olive
- ☐ 1 petit oignon haché
- ☐ 3 gousses d'ail hachées
- ☐ 2 boîtes de haricots blancs rincés et égouttés
- ☐ 1 c. à soupe de thym
- ☐ 2 c. à soupe de miel ou de sirop d'érable
- ☐ Sel et poivre au goût

3 INGRÉDIENTS VEDETTES

- ☐ 12 hauts de cuisse de poulet non désossés avec la peau
- ☐ 1 boîte (398 ml) de tomates en dés
- ☐ 200 g de saucisses douces ou piquantes, coupées en tranches épaisses

- Préchauffer le four à 400 °F (200 °C).
- Dans une poêle, faire chauffer l'huile d'olive à feu moyen-élévé. Faire revenir l'oignon et l'ail de 1 à 2 minutes.
- Faire dorer les pilons de poulet 2 minutes de chaque côté.
- Dans un grand plat allant au four, mélanger les haricots, les tomates, le thym et le miel ou le sirop d'érable.
- Déposer les pilons, l'oignon, l'ail et les saucisses sur la préparation. Saler et poivrer.
- Couvrir de papier d'aluminium et cuire au four pendant 1 heure.

UN PETIT EXTRA À la fin de la cuisson, incorporez au cassoulet quelques fines herbes fraîches hachées, comme du persil et de la ciboulette.

REMERCIEMENTS

Je tiens à remercier tous ceux qui m'ont aidée à réaliser mon rêve de publier ce livre de recettes.

D'abord et avant tout, merci à l'équipe étonnante des Éditions La Semaine et de Sogides.

Merci à Annie Tonneau d'avoir cru en ce projet.

Merci à Isabel Tardif de m'avoir guidée tout au long de ce processus. Tu as rendu cette expérience agréable et amusante. J'espère que ce livre sera le premier de nombreux ouvrages et que nous travaillerons encore ensemble.

Merci à Jean-François Gosselin et à Lyne Préfontaine pour votre œil artistique et vos idées créatives. Ce livre ne serait pas aussi beau sans votre contribution.

Merci à Nathalie Ferraris pour ta révision approfondie et tes commentaires constructifs. Ce fut un plaisir et un honneur de travailler avec toi.

Merci à Tango photographie, et plus particulièrement à Guy Arsenault, pour avoir donné vie à mes recettes et pour le moment magique passé en studio.

Merci à mes proches et à mes amis pour votre soutien.

Monique Polak, merci de m'avoir encouragée à ne jamais cesser d'écrire et à développer ma créativité. Un jour, j'écrirai peut-être un roman.

Zöe Müller, merci d'être ma *cheerleader* depuis l'adolescence. Ta positivité m'a toujours poussée à continuer dans les moments où je n'étais pas sûre de moi-même.

À mes parents, un gros merci. Mommy, je te remercie de m'avoir inculqué la joie de cuisiner. Daddy, merci de m'avoir toujours rappelé que j'étais capable de faire tout ce dont je rêvais.

Mon grand frère, Thitu, je te remercie d'être là pour moi quand j'ai besoin de ventiler.

Pascal, mon mari adoré, je te remercie pour ton palais fin et ton appétit insatiable. Tu m'as beaucoup aidée dans le test des recettes. Merci d'avoir toujours été honnête avec moi.

Enfin, merci à mes fils parfaits, Nolan et Darius, le génie et le samouraï. Vous m'inspirez tous les jours. Nolan, merci pour ton aide dans la cuisine, tu es vraiment talentueux. Darius, merci de me faire prendre des pauses et de m'amener à profiter des petites choses de la vie. Mama vous aime !